Apresentação

Nos últimos anos já passamos por uma pandemia, vivemos as consequências de uma guerra do outro lado do mundo, escolhemos nossos novos representantes na política e enfrentamos os mais diversos problemas sociais. Seja o que for que nos aguarde em 2023, você já sabe que a magia é um dos instrumentos com que você pode contar para vencer obstáculos em qualquer área da vida.

Este ano o *Almanaque Wicca* traz um variado arsenal de magia tanto para bruxos experientes quanto para quem está só começando. Você vai descobrir como ativar seus poderes interiores para realizar seus sonhos, proteger sua casa, viajar em segurança, ter sorte e prosperidade, superar momentos de crise e muito mais! E como bônus extra, convidamos para colaborar conosco três personalidades do universo da magia e da espiritualidade no Brasil:

- **Gabriele Srideve**, criadora da metodologia Cura do Feminino®, que vai mostrar aos nossos leitores como a Deusa pode se revelar nas dimensões materiais da nossa vida.
- **Júlia Otero**, sacerdotisa da Deusa e guardiã do canal A Mulher Selvagem, com quem você vai descobrir por que Bruxaria e Feminismo andam de mãos dadas.
- **Kefron Primeiro**, bruxo raizeiro de Rondônia, que produz banhos, óleos, poções e lavagens de chão segundo a tradição do Hoodoo, a poderosa magia do Mississipi.

Não dá para perder tudo isso, não é? Então vire a página e comece agora mesmo sua jornada pelo mundo mágico da Bruxaria!

Denise Rocha

Sumário

Tabelas do Almanaque Wicca 3

Calendário Wicca de Janeiro a Dezembro de 2023 14

Coisas que É Bom Você Saber se Quer Praticar Bruxaria 49

A Bruxa que Não Luta se Queima 53

Magia com Fios de Cabelo.. 59

Amuleto do Gato Preto 65

A Arte de Manifestar seus Sonhos Usando a Magia e a Intuição 68

Bolhas de Sabão Mágicas.. 75

Reversões Mágicas como Desfazer Feitiços 78

Como Ter um Fogo Mágico na Sua Casa 85

Conjuras Para Manter a Sorte a a Prosperidade Dentro de Casa 94

Feitiços de Restauração para Tempos de Crise 100

A Magia Perfeita para cada Estação do Ano 108

Magia dos Monges do Tibete 118

Use a Magia para Fazer uma Viagem Segura.................................... 123

O Círculo Sagrado do Tarô... 126

Os Sete Poderes da Deusa 139

Proteção Mágica para a Porta de Entrada... 149

Ritual Moderno para Honrar Dionísio... 154

Oração à Deusa Brigid, Protetora dos Praticantes de Magia 160

Tabelas do Almanaque Wicca

Nesta seção, você encontrará todas as tabelas sobre as influências mágicas que o ajudarão a compreender e utilizar melhor o Calendário 2023 do *Almanaque Wicca*.

Mudanças de horário

Todos os horários e datas dos fenômenos astrológicos deste Almanaque e do Calendário estão baseados no fuso horário da cidade de São Paulo (hora de Brasília). Se você mora numa região cujo fuso horário seja diferente, não se esqueça de fazer as devidas adaptações. Em 2023 não haverá horário de verão.

Festivais e datas comemorativas

As datas de alguns festivais mais conhecidos são mencionadas no Calendário ao longo de todo o ano. As datas dos chamados Sabás Menores (Yule, Ostara, Litha e Mabon) dependem do início das estações, por isso podem variar de ano para ano. No caso dos Sabás Maiores (Samhain, Imbolc, Beltane e Lammas), prevalecem as datas em que eles costumam ser celebrados, segundo a tradição. O Calendário menciona as datas de todos os Festivais mais importantes, de acordo com o ciclo sazonal do Hemisfério Norte – indicado pela sigla (HN) – e do Hemisfério Sul – indicado pela sigla (HS). A decisão de celebrar os Festivais de acordo com o ciclo sazonal do Hemisfério Norte ou do Hemisfério Sul fica a critério do leitor. Podemos celebrar qualquer um desses sabás com muita beleza e simplicidade, com uma refeição em família ou acendendo uma vela. Veja na tabela abaixo o significado de cada um dos festivais da Roda do Ano, as datas em que são celebrados em cada hemisfério.

Sabás	Datas	Significado	Alimentos e bebidas	Ervas e Flores	Ornamentos para o altar
Samhain	31/10 (HN) 1/05 (HS)	Festival dos Mortos, época em que o Deus desce aos subterrâneos, aguardando o momento de renascer. Ano Novo dos bruxos	Suco de maçã com fibra, pão de abóbora, melão, moranga, milho, romãs	Artemísia, sálvia, crisântemos, cravos, losna alecrim, tomilho	Maçãs, totós de entes queridos falecidos, folhas de outono, velas cor de laranja
Yule	21-22/12 (HN) 21-22/6 (HS)	Solstício de Inverno, que marca o nascimento do Deus Sol, do ventre da Deusa	Gemada, chá com especiarias, pão com gengibre, bolos de frutas, biscoitos, frutas secas	Pinhas, azevinho, visgo, hera, cedro, louro, cravo-da-índia, alecrim, noz-moscada, canela, gengibre, mirra	Imagens solares, uma flor de bico-de-papagaio, sinos, pinhas
Imbolc	1-2/2 (HN) 1-2/8 (HS)	Época em que a Deusa se recupera do nascimento do Deus	Mel, passas, sopas, leite, queijo iogurte	Salgueiro, menta, endro, junípero	Sempre-vivas, quartzo transparente, flores e velas brancas, leite
Ostara	21-22/3 (HN) 21-22/9 (HS)	Equinócio Vernal ou de Primavera, quando o Deus se aproxima da maturidade e a fertilidade está presente nas flores e na vida selvagem	Ovos, mel, pães doces, sementes de girassol, saladas de folhas	Narciso, madressilva, violeta, peônia, jasmim, gengibre	Estatuetas ou imagens da vida que renasce, como pintinhos, coelhinhos, filhotes em geral.
Beltane	1/5 (HN) 31/10 (HS)	União simbólica entre o Deus e a Deusa, que geram uma nova vida, dando continuidade ao ciclo	Cerejas, morangos, sorvete de baunilha, biscoitos de aveia	Prímula, rosa, bétula lilás	Imagens de borboleta, símbolo da transformação; flores frescas perfumadas, fitas coloridas, símbolos de união

Sabás	Datas	Significado	Alimentos e bebidas	Ervas e Flores	Ornamentos para o altar
Litha	21-22/6 (HN) 21-22/12 (HS)	Solstício de verão, quando o Deus está no seu apogeu, assim como o Sol. A Deusa está fecundada pelo Deus.	Limonada, pêssegos, damascos, laranjas, frutas silvestres, melancia	Girassol, camomila, margaridas, menta, erva-doce, tomilho	Fadas, símbolos solares, espelho, fitas ou contas douradas, flores cor-de-laranja
Lammas	1-2/8 (HN) 1-2/2 (HS)	Início da colheita. Deus começa a perder a força, mas também está vivo no ventre da Deusa	Pão de milho, pão de centeio, bolachas integrais, sucos de frutas vermelhas	Grãos, flores de acácia, mirtilo, papoulas, sândalo, gengibre	Girassóis, milho, grãos, pipoca, saches de ervas aromáticas
Mabon	21-22/9 (HN) 21-22/3 (HS)	Equinócio do Outono, quando o Deus está mais perto do véu que cobre o mundo subterrâneo e a Deusa lamenta sua perda	Pão de milho, nozes, uvas, cenouras, torta de maçãs	Pinhas, milefólio, canela, sálvia, anis, patchouli, avelã	Símbolo yin-yang, cascas de nozes, folhas de outono, bolotas de carvalho

Dias da semana, planetas, divindades e objetos simbólicos

Cada dia da semana é regido por um planeta, que exerce determinadas influências mágicas. Por tradição, cada dia da semana também é associado a determinados assuntos. Na tabela a seguir você vai encontrar, além do planeta regente de cada dia da semana e os assuntos relacionados a cada um desses planetas, o metal e o objeto simbólico de cada um deles.

	Segunda-feira	Terça-feira	Quarta-feira	Quinta-feira	Sexta-feira	Sábado	Domingo
Planeta	Lua	Marte	Mercúrio	Júpiter	Vênus	Saturno	Sol
Divindade	Selene, Néftis, Ártemis, Isis	Marte/Ares, Tyr, Iansã, Kali	Mercúrio/ Hermes, Atena, Sarasvarti, Odin	Thor, Jovis/ Júpiter, Rhiannon, Juno, Lakshmi	Vênus/ Afrodite, Angus, Parvati	Hécate, Nêmesis, Saturno	Brigid, Apolo, Lugh, Belisama

	Segunda-feira	Terça-feira	Quarta-feira	Quinta-feira	Sexta-feira	Sábado	Domingo
Associações	Fertilidade, aumento, trabalho com sonhos	Defesa, proteção, inspiração, superação de obstáculo, coragem, sexo, dança	Comunicação, aprendizado, estudo, provas e testes, questões jurídicas, viagens, ideias, memória, ciência	Generosidade, justiça natural, expansão, propriedades, testamentos, questões familiares	Amor, afeição, amizades, parceria, sedução, sexualidade, beleza, arte	Limites, ligação, exorcismo, disciplina, redução, proteção, desvio	Saúde, felicidade, contentamento, música, poesia
Metal	Prata	Ferro	Mercúrio	Estanho	Cobre	Chumbo	Ouro
Objeto simbólico	Caldeirão	Flecha	Cajado	Tambor	Rosa, estrela	Corrente, cordão	Disco

As estações e a magia

Cada estação carrega consigo uma energia diferente, em sintonia com os fluxos e refluxos da vida. Portanto, verifique a tabela abaixo para saber qual a época mais propícia fazer seus trabalhos espirituais e mágicos:

Primavera	Verão	Outono	Inverno
Inícios, novos projetos, purificação, limpeza, cultivo de jardim mágico, fertilidade, atrair amor, felicidade	Dinheiro, prosperidade, sucesso, força, coragem, magia do fogo, fortalecer o amor, fidelidade, cura física	Espiritualidade, agradecimento por bênçãos recebidas, banimento de negatividade, proteção, novas aquisições	Reflexão, meditação, cura emocional, divinação, consciência psíquica, descoberta de vidas passadas

Eclipses

O eclipse *solar* acontece durante a Lua Nova, quando esse astro passa exatamente entre a Terra e o Sol, cobrindo-o total ou parcialmente. O eclipse *lunar* acontece quando ela escurece ao passar pela sombra da Terra.

Do ponto de vista científico, existem três tipos de eclipse: o parcial, o total e o anular. O eclipse anular do Sol é um tipo especial de eclipse parcial. Durante um eclipse anular a Lua passa em frente ao Sol, mas acaba por não cobrir completamente o disco da nossa estrela.

Muitas pessoas que praticam magia acreditam que o eclipse seja um sinal de mudança e possa representar um momento decisivo na nossa vida. *Comece o trabalho de magia dez minutos antes do eclipse e continue a trabalhar enquanto ele ocorre, até que tenha terminado. A chave é captar a energia do eclipse e puxar essa energia para o seu trabalho, enquanto o fenômeno estiver em curso.*

Fases da Lua

Um dos métodos mais conhecidos, comprovados e eficazes de obter bons resultados no mundo da magia consiste em sintonizar o feitiço ou ritual com a fase da Lua correspondente. As bruxas devem ter sempre à mão o calendário do *Almanaque Wicca*, com as fases lunares, para ficar a par dos ciclos desse astro.

Fase da Lua	Assuntos favorecidos
Nova	Novo emprego, projeto ou relacionamento, pôr em prática novas ideias, crescimento, expansão
Crescente	Desenvolvimento, prosperidade, compromissos, crescimento, acelerar projetos, aumentar a prosperidade
Cheia	Feitiços de amor, aumentar o poder, potencializar a magia
Minguante	Terminar relacionamentos, dissipar energias negativas, reflexão, combater vícios e situações indesejáveis, fazer renovações, eliminar maldições, combater ataques psíquicos

A Lua nos signos

A Lua se "move" continuamente pelo zodíaco, passando por todos os signos. Cada um deles exerce um tipo de influência sobre as pessoas e suas atividades. A tabela abaixo indica os melhores signos lunares para diferentes tipos de feitiço:

Tipo de feitiço	Áries	Touro	Gêmeos	Câncer	Leão	Virgem	Libra	Escorpião	Sagitário	Capricórnio	Aquário	Peixes
Amor/relacionamentos			•	•			•				•	•
Cura/emoções			•	•			•	•			•	•
Prosperidade/aumento		•			•	•			•	•		
Emprego/comércio				•	•				•	•		
Amarração/banimento	•			•		•		•				
Proteção	•	•							•			
Fertilidade	•	•				•				•		•

Luas Fora de Curso

A Lua dá uma volta em torno da Terra a cada 28 dias, permanecendo em cada signo do zodíaco durante dois dias e meio, aproximadamente. Quando se aproxima dos últimos graus de um signo, ela acaba atingindo o planeta que está no grau mais alto desse signo, formando com ele um aspecto final antes de deixar o signo. Esse é um aspecto lunar de grande importância na magia. Quando forma esse último aspecto com o planeta até o momento em que sai desse signo para entrar no próximo, dizem que a Lua está fora de curso. Isso dura apenas algumas horas, porém essas horas são de suma importância em toda ação humana e especialmente na prática da magia, já que durante esse período a Lua está sem direção e tudo o que se faça ou comece se revela muito mais imprevisível. Essa é uma das razões por que muitas magias são ineficazes. Quando a Lua está nesse período não se deve começar nada novo, pois isso pode nunca chegar a se realizar. **Obs.: As datas de início e final das Luas fora de curso estão indicadas ao longo do Calendário sob a sigla LFC (*Lua Fora de Curso*).**

Lua Negra

A fase lunar denominada Lua Negra acontece mensalmente, nos três dias que antecedem a Lua Nova. A Lua Negra facilita o acesso aos mundos e planos sutis e às profundezas de nossa psique. Por isso é considerada uma fase favorável para trabalhos de transformação e renovação. Ela tem o poder de criar e de destruir, de curar e de regenerar e de descobrir e fluir com o ritmo das mudanças e dos ciclos naturais, dependendo da capacidade individual em reconhecer e integrar sua sombra. É, portanto, um período favorável para rituais de cura, renovação e regeneração. Podemos citar também rituais de eliminação de uma maldição; a correção de uma disfunção, o afastamento dos obstáculos ou das dificuldades à realização afetiva ou profissional; a eliminação de resíduos energéticos negativos de pessoas, objetos e ambientes. **As Luas Negras de 2023 estão indicadas no Calendário.**

Lua Azul

A Lua Azul, a segunda Lua cheia que ocorre no mesmo mês, é um fenômeno que se repete a cada dois anos e sete meses e é causado pela presença de treze lunações em um ano solar. É considerada um tempo mágico que abre portais de comunicação profunda com outras dimensões, energias, seres e planos sutis, tornando os rituais mais poderosos, as vivências mais abrangentes e os efeitos mágicos mais rápidos. Por isso é preciso ter muita cautela ao se escolher os objetivos e pedidos feitos nessa fase da Lua. **A Lua Azul de 2023 está indicada no Calendário.**

Lua Rosa

Na Antiga Tradição, acreditava-se que determinadas **Luas cheias** tinham uma energia especial para realizar desejos, projetos ou aspirações. Essas Luas, chamadas "Lua Rosa dos Desejos" ou "Lua dos Pedidos" são os plenilúnios (Luas cheias) mais próximos dos quatro grandes sabás celtas: Samhain, em 31 de outubro; Imbolc, em 1º de fevereiro; Beltane, em 30 de abril; e Lughnassadh, em 1º de agosto – com um intervalo de três meses entre si. **As Luas Rosas de 2023 estão indicadas no Calendário.**

Lua Violeta

Menos conhecida e menos divulgada, a Lua Violeta acontece quando ocorrem **duas Luas novas** no mesmo mês. O período de três dias – que antecede a segunda Lua nova – proporciona energias purificadoras e transmutadoras e, portanto, oferece as condições ideais para a introspecção e meditação ampla e profunda, bem como a reavaliação de valores, atitudes e objetivos. **Não há Luas Violetas em 2023.**

Lua Vermelha

Na Antiguidade, o ciclo menstrual da mulher seguia as fases da Lua com tanta precisão que a gestação era contada por luas. Com o passar do tempo, a mulher foi se distanciando dessa sintonia e perdendo o contato com o próprio ritmo do corpo, o que gerou vários desequilíbrios hormonais, emocionais e psíquicos. Para restabelecer essa sincronicidade natural, a mulher deve se reconectar à Lua, observando a relação entre as fases lunares e o seu ciclo menstrual.

Cores e incensos de cada dia da semana

São sugeridos para cada dia da semana cores e aromas de incensos, caso queira usar velas e incensos nos seus encantamentos e rituais.

Sabás e Luas de 2023	
6 de janeiro	Lua Cheia às 20h09
14 de janeiro	Lua Minguante às 23h11
21 de janeiro	Lua Nova às 17h54
28 de janeiro	Lua Crescente às 12h20
2 de fevereiro	Imbolc (HN) Lammas (HS)
5 de fevereiro	Lua Cheia às 15h30
13 de fevereiro	Lua Minguante às 13h02
20 de fevereiro	Lua Nova às 4h07
27 de fevereiro	Lua Crescente às 5h07
7 de março	Lua Cheia às 9h42 (Lua Rosa)
14 de março	Lua Minguante às 23h09
21 de março	Lua Nova às 14h24 Ostara – Equinócio de primavera (HS) Mabon – Equinócio de outono (HN)
28 de março	Lua Crescente às 23h34
6 de abril	Lua Cheia à 1h36
13 de abril	Lua Minguante às 6h13
20 de abril	Lua Nova à 1h14 Eclipse solar anular total à 1h14
27 de abril	Lua Crescente às 18h21
30 de abril	Beltane (HN) Samhain (HS)
5 de maio	Lua Cheia às 14h35 Eclipse lunar anular às 14h35
12 de maio	Lua Minguante às 11h29
19 de maio	Lua Nova às 12h54
27 de maio	Lua Crescente às 12h23

Sabás e Luas de 2023	
4 de junho	Lua Cheia à 0h43
10 de junho	Lua Minguante às 16h33
18 de junho	Lua Nova à 1h38
21 de junho	Litha – Solstício de Verão (HN) Yule – Solstício de Inverno (HS)
26 de junho	Lua Crescente às 4h51
3 de julho	Lua Cheia às 8h40
9 de julho	Lua Minguante às 22h49
17 de julho	Lua Nova às 15h33
25 de julho	Lua Crescente às 19h08
1º de agosto	Lua Cheia às 15h33 (Lua Rosa) Lammas (HN) Imbolc (HS)
8 de agosto	Lua Minguante às 7h30
16 de agosto	Lua Nova às 6h39
24 de agosto	Lua Crescente às 6h58
30 de agosto	Lua Cheia às 22h37 (Lua Azul)
6 de setembro	Lua Minguante às 19h22
14 de setembro	Lua Nova às 22h41
22 de setembro	Lua Crescente às 16h33 Mabon – Equinócio de outono (HN) Ostara – Equinócio de primavera (HS)
29 de setembro	Lua Cheia às 6h59
6 de outubro	Lua Minguante às 10h49
14 de outubro	Lua Nova às 14h56 Eclipse solar anular às 14h56

Sabás e Luas de 2023	
22 de outubro	Lua Crescente à 0h31
28 de outubro	Lua Cheia às 17h25 (Lua Rosa) Eclipse lunar parcial às 17h25
31 de outubro	Samhain (HN) Beltane (HS)
5 de novembro	Lua Minguante às 5h38
13 de novembro	Lua Nova às 6h29
20 de novembro	Lua Crescente às 7h51
27 de novembro	Lua Cheia às 6h17
5 de dezembro	Lua Minguante às 2h50
12 de dezembro	Lua Nova às 20h33
19 de dezembro	Lua Crescente às 15h40 Yule – Solstício de inverno (HN) Litha – Solstício de verão (HS)
26 de dezembro	Lua Cheia às 21h34

Calendário Wicca

de JANEIRO a DEZEMBRO de 2023

Início LFC = Início da Lua Fora de Curso
Final LFC = Término da Lua Fora de Curso

Janeiro de 2023

Janeiro é consagrado ao deus romano Janus, divindade pré-latina considerada deus do Sol e do dia. Janeiro é uma época cheia de possibilidades, mas ainda contém as restrições, lições e resquícios do ano anterior. Por isso é um período adequado para nos livrarmos do velho e ultrapassado, preparando planos e projetos para novas conquistas, mudanças e realizações. A pedra de janeiro é a granada.

1/1 domingo
Signo da Lua: Touro
Fase da Lua: Crescente
Cor: Cinza ☙ Incenso: Rosas
Dia Mundial da Paz
Dia consagrado ao par divino Zeus e Hera
Festival romano de Strenia, com troca de presentes
Januálias

2/1 segunda-feira
Signo da Lua: Gêmeos às 23h45
Fase da Lua: Crescente
Início LFC: 19h18
Final LFC: 23h45
Cor: Branco ☙ Incenso: Eucalipto
Advento de Isis
Celebração das Nornes, deusas do destino

3/1 terça-feira
Signo da Lua: Gêmeos
Fase da Lua: Crescente
Cor: Verde ☙ Incenso: Sândalo
Festival romano em honra de Pax, deusa da paz
Festival Lanaia em honra a Dionísio

4/1 quarta-feira
Signo da Lua: Gêmeos
Fase da Lua: Crescente
Início LFC: 21h09
Cor: Amarelo ☙ Incenso: Erva-cidreira
Ritual coreano das Sete Estrelas

5/1 quinta-feira
Signo da Lua: Câncer às 11h16
Fase da Lua: Crescente
Final LFC: 11h16
Cor: Vermelho ☙ Incenso: Manjericão
Festa de Bafana, na Itália, reminiscência da antiga celebração à deusa Befana, a Anciã, também chamada de La Vecchia ou La Strega

6/1 sexta-feira
Signo da Lua: Câncer
Fase da Lua: Cheia às 20h09
Cor: Azul ⚜ Incenso: Violetas
Dia de Morrigan, deusa tríplice celta
Epifania ou Dia de Reis

7/1 sábado
Signo da Lua: Leão às 23h41
Fase da Lua: Cheia
Início LFC: 19h24
Final LFC: 23h41
Cor: Roxo ⚜ Incenso: Cravo-da-índia
Dia da Liberdade de Cultos
Sekhmet, Ano Novo Egípcio

8/1 domingo
Signo da Lua: Leão
Fase da Lua: Cheia
Cor: Preto ⚜ Incenso: Cedro
Ano Novo dos Druidas
Festival de Justitia, em honra da deusa romana da justiça
Dia de Freia, deusa nórdica do amor, da fertilidade e da magia

9/1 segunda-feira
Signo da Lua: Leão
Fase da Lua: Cheia
Início LFC: 22h54
Cor: Lilás ⚜ Incenso: Jasmim
Festa da Agonia, dedicada ao deus Janus, padroeiro do mês

10/1 terça-feira
Signo da Lua: Virgem às 12h16
Fase da Lua: Cheia
Final LFC: 12h16
Cor: Marrom ⚜ Incenso: Laranja
Início da Carmentália, festival dedicado à deusa Carmenta (até 15/01)

11/1 quarta-feira
Signo da Lua: Virgem
Fase da Lua: Cheia
Cor: Azul-marinho ⚜ Incenso: Alfazema
Dia de Frigga, deusa nórdica consorte do deus Odin

12/1 quinta-feira
Signo da Lua: Libra às 23h58
Fase da Lua: Cheia
Início LFC: 20h08
Final LFC: 23h58
Cor: Laranja ⚜ Incenso: Manjericão
Festival de Compitália, em honra dos Lares
Festival indiano de Sarasvati, deusa dos rios, das artes e do conhecimento

13/1 sexta-feira
Signo da Lua: Libra
Fase da Lua: Cheia
Cor: Branco ⚜ Incenso: Dama-da-noite

14/1 sábado
Signo da Lua: Libra
Fase da Lua: Minguante às 23h11
Cor: Amarelo ⚜ Incenso: Laranja
Makara Sankranti, celebração hindu com banho no rio Ganges

15/1 domingo
Signo da Lua: Escorpião às 9h09
Fase da Lua: Minguante
Início LFC: 5h41
Final LFC: 9h09
Cor: Cinza ⚜ Incenso: Violetas

16/1 segunda-feira
Signo da Lua: Escorpião
Fase da Lua: Minguante
Cor: Laranja ⚜ Incenso: Cedro
Festival da Concórdia, deusa romana das relações harmoniosas
Festival hindu de Ganesha, deus-elefante, filho da deusa Parvati

17/1 terça-feira
Signo da Lua: Sagitário às 14h34
Fase da Lua: Minguante
Início LFC: 11h28
Final LFC: 14h34
Cor: Branco ♣ Incenso: Manjericão
Festival celta das Macieiras
Dia de Felicitas, deusa romana da boa sorte e da felicidade
Dia da deusa grega Atena em seu aspecto guerreira

18/1 quarta-feira
Signo da Lua: Sagitário
Fase da Lua: Minguante (Lua Negra)
Cor: Preto ♣ Incenso: Hortênsia
Festival hindu ao deus e à deusa Surya, divindades solares regentes da luz

19/1 quinta-feira
Signo da Lua: Capricórnio às 16h13
Fase da Lua: Minguante (Lua Negra)
Início LFC: 7h10
Final LFC: 16h13
Cor: Lilás ♣ Incenso: Dama-da-noite

20/1 sexta-feira
Signo da Lua: Capricórnio
Fase da Lua: Minguante (Lua Negra)
O Sol entra em Aquário às 5h31
Cor: Cor-de-rosa ♣ Incenso: Laranja
Dia da Santa Inês ou Agnes, época da divinação pelo fogo

21/1 sábado
Signo da Lua: Aquário às 15h30
Fase da Lua: Nova às 17h54
Início LFC: 12h53
Final LFC: 15h30
Cor: Vermelho ♣ Incenso: Jasmim
Celebração de Baba Yaga, nos países eslavos
Dia Mundial da Religião

22/1 domingo
Signo da Lua: Aquário
Fase da Lua: Nova
Cor: Cinza ♣ Incenso: Cravo-da-índia
Festival das Musas, honrando as deusas da poesia, da arte, da música e da dança

23/1 segunda-feira
Signo da Lua: Peixes às 14h37
Fase da Lua: Nova
Início LFC: 7h20
Final LFC: 14h37
Cor: Marrom ♣ Incenso: Erva-cidreira
Celebração da deusa lunar egípcia Hathor, deusa da beleza, do amor e da arte

24/1 terça-feira
Signo da Lua: Peixes
Fase da Lua: Nova
Cor: Branco ♣ Incenso: Rosas

25/1 quarta-feira
Signo da Lua: Áries à 15h49
Fase da Lua: Nova
Início LFC: 13h13
Final LFC: 15h49
Cor: Roxo ♣ Incenso: Sálvia

26/1 quinta-feira
Signo da Lua: Áries
Fase da Lua: Nova
Cor: Cinza ♣ Incenso: Eucalipto
Celebração de Cernunnos, o deus celta da fertilidade, senhor dos animais e da vegetação

27/1 sexta-feira
Signo da Lua: Touro às 20h44
Fase da Lua: Nova
Início LFC: 18h02

Final LFC: 20h44
Cor: Verde ⚜ Incenso: Manjericão
Feriae Sementiva, festival romano em honra às deusas dos grãos e da colheita

28/1 sábado
Signo da Lua: Touro
Fase da Lua: Crescente às 12h20
Cor: Azul ⚜ Incenso: Violetas
Dia da deusa Pele, padroeira do Havaí, guardiã do fogo vulcânico

29/1 domingo
Signo da Lua: Touro
Fase da Lua: Crescente
Cor: Cor-de-rosa ⚜ Incenso: Cedro
Celebração de Concórdia, a deusa romana da paz e da harmonia domésticas

30/1 segunda-feira
Signo da Lua: Gêmeos às 5h36
Fase da Lua: Crescente
Início LFC: 2h53
Final LFC: 5h36
Cor: Cinza ⚜ Incenso: Alfazema
Festival da Paz, dedicado à deusa romana Pax
Celebração das deusas da cura Anceta e Angitia, cujas ervas sagradas e encantamentos curavam as febres e picadas de cobra
Festa de Nosso Senhor do Bonfim e de Nossa Senhora das Águas

31/1 terça-feira
Signo da Lua: Gêmeos
Fase da Lua: Crescente
Cor: Branco ⚜ Incenso: Sálvia
Véspera de Fevereiro, início do festival de Imbolc
Dia consagrado às Valquírias e às Parcas

Fevereiro de 2023

O nome deste mês deriva da deusa romana Fébrua, mãe de Marte. Fevereiro é um mês propício tanto para as reconfirmações do caminho espiritual quanto para as iniciações, dedicando a sua devoção a uma divindade com a qual você tenha afinidade. Na tradição Wicca, o sabá Imbolc, ou Candlemas, celebra a deusa tríplice Brighid, a Senhora do Fogo Criador, da Arte e da Magia. É uma data favorável às iniciações e renovações dos compromissos espirituais, bem como para purificações ritualísticas, práticas oraculares e cerimônias com fogo.

1/2 quarta-feira
Signo da Lua: Câncer às 17h13
Fase da Lua: Crescente
Início LFC: 8h59
Final LFC: 17h13
Cor: Amarelo ⚜ Incenso: Laranja
Festival da deusa celta Brighid
Véspera de Imbolc/Lammas
Ano Novo Chinês (Coelho)

2/2 quinta-feira
Signo da Lua: Câncer
Fase da Lua: Crescente
Cor: Verde ⚜ Incenso: Dama-da-noite
Festival de Juno Fébrua, a deusa que preside o mês de fevereiro
Festa de Iemanjá
Imbolc (HN)
Lammas (HS)

3/2 sexta-feira
Signo da Lua: Câncer
Fase da Lua: Crescente
Cor: Azul-marinho ❧ Incenso: Jasmim

4/2 sábado
Signo da Lua: Leão às 5h50
Fase da Lua: Crescente
Início LFC: 3h20
Final LFC: 5h50
Cor: Marrom ❧ Incenso: Cravo-da-índia

5/2 domingo
Signo da Lua: Leão
Fase da Lua: Cheia às 15h30
Cor: Lilás ❧ Incenso: Erva-cidreira

6/2 segunda-feira
Signo da Lua: Virgem às 18h15
Fase da Lua: Cheia
Início LFC: 11h17
Final LFC: 18h15
Cor: Verde ❧ Incenso: Sândalo
Festival em honra de Afrodite, deusa grega do amor

7/2 terça-feira
Signo da Lua: Virgem
Fase da Lua: Cheia
Cor: Cinza ❧ Incenso: Rosas

8/2 quarta-feira
Signo da Lua: Virgem
Fase da Lua: Cheia
Cor: Vermelho ❧ Incenso: Sálvia

9/2 quinta-feira
Signo da Lua: Libra às 5h48
Fase da Lua: Cheia
Início LFC: 3h41
Final LFC: 5h48
Cor: Branco ❧ Incenso: Manjericão
Dia de Apolo, a divindade do Sol

10/2 sexta-feira
Signo da Lua: Libra
Fase da Lua: Cheia
Cor: Amarelo ❧ Incenso: Violetas

11/2 sábado
Signo da Lua: Escorpião às 15h36
Fase da Lua: Cheia
Início LFC: 13h42
Final LFC: 15h36
Cor: Vermelho ❧ Incenso: Cedro

12/2 domingo
Signo da Lua: Escorpião
Fase da Lua: Cheia
Cor: Azul ❧ Incenso: Sândalo
Dia consagrado às deusas da caça, Ártemis e Diana

13/2 segunda-feira
Signo da Lua: Sagitário às 22h32
Fase da Lua: Minguante às 13h02
Início LFC: 20h53
Final LFC: 22h32
Cor: Roxo ❧ Incenso: Alfazema
Parentálias, festival romano em honra dos mortos (até 28/02)

14/2 terça-feira
Signo da Lua: Sagitário
Fase da Lua: Minguante
Cor: Lilás ❧ Incenso: Violetas
Dia de São Valentim, festival do amor, também dedicado a Juno Fébrua

15/2 quarta-feira
Signo da Lua: Sagitário
Fase da Lua: Minguante
Início LFC: 22h07
Cor: Preto ❧ Incenso: Rosas
Lupercais, festival romano em honra do deus Pã

16/2 quinta-feira
Signo da Lua: Capricórnio às 2h01

Fase da Lua: Minguante
Final LFC: 2h01
Cor: Marrom ♣ Incenso: Canela
Faunálias, festas romanas em honra dos faunos

17/2 sexta-feira
Signo da Lua: Capricórnio
Fase da Lua: Minguante (Lua Negra)
Cor: Vermelho ♣ Incenso: Jasmim
Dia da deusa Kali na Índia

18/2 sábado
Signo da Lua: Aquário às 2h36
Fase da Lua: Minguante (Lua Negra)
O Sol entra em Peixes às 19h35
Início LFC: 1h19
Final LFC: 2h36
Cor: Azul-marinho ♣ Incenso: Manjericão

19/2 domingo
Signo da Lua: Aquário
Fase da Lua: Minguante (Lua Negra)
Início LFC: 23h01
Cor: Laranja ♣ Incenso: Hortênsia

20/2 segunda-feira
Signo da Lua: Peixes à 1h57
Fase da Lua: Nova às 4h07
Final LFC: 1h57
Cor: Cor-de-rosa ♣ Incenso: Alfazema

21/2 terça-feira
Signo da Lua: Peixes
Fase da Lua: Nova
Cor: Branco ♣ Incenso: Canela
Ferálias, festas romanas em honra dos deuses Manes, espíritos dos mortos

22/2 quarta-feira
Signo da Lua: Áries às 2h15
Fase da Lua: Nova
Início LFC: 1h07
Final LFC: 2h15
Cor: Preto ♣ Incenso: Hortênsia
Festival romano da deusa Concórdia
Festival das Lanternas
Cinzas

23/2 quinta-feira
Signo da Lua: Áries
Fase da Lua: Nova
Cor: Cinza ♣ Incenso: Dama-da--noite
Terminálias, festival romano em honra de Termo, deus das fronteiras

24/2 sexta-feira
Signo da Lua: Touro às 5h30
Fase da Lua: Nova
Início LFC: 4h23
Final LFC: 5h30
Cor: Amarelo ♣ Incenso: Rosas

25/2 sábado
Signo da Lua: Touro
Fase da Lua: Nova
Cor: Verde ♣ Incenso: Laranja

26/2 domingo
Signo da Lua: Gêmeos às 12h49
Fase da Lua: Nova
Início LFC: 11h44
Final LFC: 12h49
Cor: Vermelho ♣ Incenso: Jasmim

27/2 segunda-feira
Signo da Lua: Gêmeos
Fase da Lua: Crescente às 5h07
Cor: Azul ♣ Incenso: Sálvia
Dia da Anciã

28/2 terça-feira
Signo da Lua: Câncer às 23h41
Fase da Lua: Crescente
Início LFC: 22h08
Final LFC: 23h41
Cor: Roxo ♣ Incenso: Cravo-da-índia

Março de 2023

O mês de março é consagrado ao deus romano da guerra, Marte, contraparte do grego Ares. Para os romanos este mês representava o início do Ano Novo, começando no equinócio de primavera, em torno do dia 21, data mantida até hoje como o início do Ano Zodiacal. A pedra natal de março é o jaspe sanguíneo ou heliotrópio.

1/3 quarta-feira
Signo da Lua: Câncer
Fase da Lua: Crescente
Cor: Lilás ⚜ Incenso: Hortênsia
Matronálias, festas romanas em homenagem à maternidade de Juno, protetora dos casamentos
Dia em que as vestais alimentavam o fogo sagrado, anunciando o Ano Novo Romano

2/3 quinta-feira
Signo da Lua: Câncer
Fase da Lua: Crescente
Cor: Preto ⚜ Incenso: Laranja
Dia consagrado a Ceadda, deusa das fontes e poços sagrados

3/3 sexta-feira
Signo da Lua: Leão às 12h17
Fase da Lua: Crescente
Início LFC: 11h24
Final LFC: 12h17
Cor: Azul-marinho ⚜ Incenso: Sálvia
Isidis Navigatum, Benção egípcia das Frotas

4/3 sábado
Signo da Lua: Leão
Fase da Lua: Crescente
Cor: Marrom ⚜ Incenso: Violetas
Festival celta em honra a Rhiannon, deusa donzela, relacionada à deusa Perséfone

5/3 domingo
Signo da Lua: Leão
Fase da Lua: Crescente
Cor: Laranja ⚜ Incenso: Alfazema

6/3 segunda-feira
Signo da Lua: Virgem à 0h40
Fase da Lua: Crescente
Início LFC: 0h20
Final LFC: 0h40
Cor: Cor-de-rosa ⚜ Incenso: Rosas

7/3 terça-feira
Signo da Lua: Virgem
Fase da Lua: Cheia às 9h42 (Lua Rosa)
Cor: Cinza ⚜ Incenso: Erva-cidreira

8/3 quarta-feira
Signo da Lua: Libra às 11h45
Fase da Lua: Cheia
Início LFC: 11h08
Final LFC: 11h45
Cor: Branco ⚜ Incenso: Sândalo
Dia Internacional da Mulher

9/3 quinta-feira
Signo da Lua: Libra
Fase da Lua: Cheia
Cor: Preto ⚜ Incenso: Erva-cidreira

10/3 sexta-feira
Signo da Lua: Escorpião às 21h07
Fase da Lua: Cheia
Início LFC: 20h38

Final LFC: 21h07
Cor: Lilás ⚜ Incenso: Canela

11/3 sábado
Signo da Lua: Escorpião
Fase da Lua: Cheia
Cor: Roxo ⚜ Incenso: Lavanda

12/3 domingo
Signo da Lua: Escorpião
Fase da Lua: Cheia
Cor: Azul ⚜ Incenso: Jasmim
Festa de Marduk, deus supremo da Babilônia
Dia do Martírio de Hipátia, conhecida como a Pagã Divina

13/3 segunda-feira
Signo da Lua: Sagitário às 4h22
Fase da Lua: Cheia
Início LFC: 4h00
Final LFC: 4h22
Cor: Vermelho ⚜ Incenso: Manjericão
Dia da Sorte na Wicca

14/3 terça-feira
Signo da Lua: Sagitário
Fase da Lua: Minguante às 23h09
Cor: Verde ⚜ Incenso: Eucalipto
Dia de Ua Zit, deusa-serpente egípcia

15/3 quarta-feira
Signo da Lua: Capricórnio às 9h07
Fase da Lua: Minguante
Início LFC: 5h51
Final LFC: 9h07
Cor: Amarelo ⚜ Incenso: Hortênsia
Festival romano em honra de Ana Perena, deusa dos anos
Festival em honra de Átis e Cibele

Dia sagrado de Reia, deusa grega da terra, mãe de Zeus e um aspecto da Grande Mãe

16/3 quinta-feira
Signo da Lua: Capricórnio
Fase da Lua: Minguante
Cor: Preto ⚜ Incenso: Rosas
Festival do deus grego Dionísio, deus do vinho
Dia dedicado a Morgan Le Fay

17/3 sexta-feira
Signo da Lua: Aquário às 11h26
Fase da Lua: Minguante
Início LFC: 11h15
Final LFC: 11h26
Cor: Azul ⚜ Incenso: Alfazema
Liberálias, festas romanas em honra de Líber, deus da fecundidade

18/3 sábado
Signo da Lua: Aquário
Fase da Lua: Minguante (Lua Negra)
Cor: Vermelho ⚜ Incenso: Sândalo

19/3 domingo
Signo da Lua: Peixes às 12h13
Fase da Lua: Minguante (Lua Negra)
Início LFC: 7h34
Final LFC: 12h13
Cor: Roxo ⚜ Incenso: Sálvia
Quinquátrias, festas romanas em honra de Minerva, deusa que personificava o pensamento (até 23/03)
A véspera do equinócio é um dos festivais da deusa grega Atenas

20/3 segunda-feira
Signo da Lua: Peixes
Fase da Lua: Minguante (Lua Negra)

Início do Outono às 18h26
O Sol entra em Áries às 18h26
Cor: Amarelo ⚜ Incenso: Canela
Ostara – Equinócio de Primavera (HN)
Mabon – Equinócio de Outono (HS)

21/3 terça-feira
Signo da Lua: Áries às 13h02
Fase da Lua: Nova às 14h24
Início LFC: 12h59
Final LFC: 13h02
Cor: Verde ⚜ Incenso: Dama-da--noite

22/3 quarta-feira
Signo da Lua: Áries
Fase da Lua: Nova
Cor: Preto ⚜ Incenso: Rosas

23/3 quinta-feira
Signo da Lua: Touro às 15h43
Fase da Lua: Nova
Início LFC: 14h14
Final LFC: 15h43
Cor: Laranja ⚜ Incenso: Sândalo

24/3 sexta-feira
Signo da Lua: Touro
Fase da Lua: Nova
Cor: Azul-marinho ⚜ Incenso: Erva-cidreira
Dia da deusa guardiã Albion ou Britânia (Grã-Bretanha)

25/3 sábado
Signo da Lua: Gêmeos às 21h43
Fase da Lua: Nova
Início LFC: 13h20
Final LFC: 21h43
Cor: Marrom ⚜ Incenso: Eucalipto
Hilárias, festas romanas em honra de Cibele

26/3 domingo
Signo da Lua: Gêmeos
Fase da Lua: Nova
Cor: Azul ⚜ Incenso: Alfazema

27/3 segunda-feira
Signo da Lua: Gêmeos
Fase da Lua: Nova
Início LFC: 22h40
Cor: Cinza ⚜ Incenso: Manjericão

28/3 terça-feira
Signo da Lua: Câncer às 7h23
Fase da Lua: Crescente às 23h34
Final LFC: 7h23
Cor: Cor-de-rosa ⚜ Incenso: Violetas
Antiga data do nascimento de Jesus

29/3 quarta-feira
Signo da Lua: Câncer
Fase da Lua: Crescente
Cor: Branco ⚜ Incenso: Cedro
Festival da deusa egípcia Ishtar

30/3 quinta-feira
Signo da Lua: Leão às 19h32
Fase da Lua: Crescente
Início LFC: 10h47
Final LFC: 19h32
Cor: Verde ⚜ Incenso: Alfazema
Festival de Luna, deusa romana da Lua

31/3 sexta-feira
Signo da Lua: Leão
Fase da Lua: Crescente
Cor: Amarelo ⚜ Incenso: Hortênsia

Abril de 2023

O nome do mês de abril deriva da deusa grega Afrodite (a Vênus romana). O nome anglo-saxão deste mês era Easter Monath, que até hoje é mantido na palavra "Easter" (Páscoa). Reverenciava-se a deusa da primavera e da fertilidade, Eostre. A última noite deste mês é uma data muito importante na tradição Wicca: celebra-se o sabá Beltaine, reencenando o casamento sagrado da deusa da terra com o deus da vegetação. A pedra natal de abril é o diamante.

1/4 sábado
Signo da Lua: Leão
Fase da Lua: Crescente
Cor: Lilás ♣ Incenso: Laranja
Venerálias, festival romano em honra de Vênus, deusa da beleza e do amor

2/4 domingo
Signo da Lua: Virgem às 7h58
Fase da Lua: Crescente
Início LFC: 3h04
Final LFC: 7h58
Cor: Preto ♣ Incenso: Dama-da-noite
Festival de Cibele, a Grande Mãe

3/4 segunda-feira
Signo da Lua: Virgem
Fase da Lua: Crescente
Cor: Marrom ♣ Incenso: Canela

4/4 terça-feira
Signo da Lua: Libra às 18h52
Fase da Lua: Crescente
Início LFC: 10h51
Final LFC: 18h52
Cor: Laranja ♣ Incenso: Rosas
Megalésias, festas romanas em honra de Cibele, a Mãe dos Deuses

5/4 quarta-feira
Signo da Lua: Libra
Fase da Lua: Crescente
Cor: Azul-marinho ♣ Incenso: Eucalipto
Festival chinês em honra de Kuan Yin, deusa da cura

6/4 quinta-feira
Signo da Lua: Libra
Fase da Lua: Cheia à 1h36
Início LFC: 9h44
Cor: Amarelo ♣ Incenso: Manjericão

7/4 sexta-feira
Signo da Lua: Escorpião às 3h30
Fase da Lua: Cheia
Final LFC: 3h30
Cor: Verde ♣ Incenso: Violetas
Dia Mundial da Saúde
Sexta-feira Santa

8/4 sábado
Signo da Lua: Escorpião
Fase da Lua: Cheia
Cor: Azul ♣ Incenso: Erva-cidreira
Sábado de Aleluia

9/4 domingo
Signo da Lua: Sagitário às 9h58

Fase da Lua: Cheia
Início LFC: 6h10
Final LFC: 9h58
Cor: Vermelho ⚜ Incenso: Cedro
Páscoa

10/4 segunda-feira
Signo da Lua: Sagitário
Fase da Lua: Cheia
Cor: Cinza ⚜ Incenso: Canela
Dança do Sol no druidismo

11/4 terça-feira
Signo da Lua: Capricórnio às 14h34
Fase da Lua: Cheia
Início LFC: 7h49
Final LFC: 14h34
Cor: Branco ⚜ Incenso: Cedro

12/4 quarta-feira
Signo da Lua: Capricórnio
Fase da Lua: Cheia
Cor: Amarelo ⚜ Incenso: Hortênsia

13/4 quinta-feira
Signo da Lua: Aquário às 17h43
Fase da Lua: Minguante às 6h13
Início LFC: 11h15
Final LFC: 17h43
Cor: Vermelho ⚜ Incenso: Dama--da-noite
Festival de primavera de Libertas, a deusa romana da Liberdade
Cereálias, festival romano em homenagem a Ceres, deusa da Terra e seus frutos

14/4 sexta-feira
Signo da Lua: Aquário
Fase da Lua: Minguante
Cor: Azul-marinho ⚜ Incenso: Laranja

15/4 sábado
Signo da Lua: Peixes às 19h58
Fase da Lua: Minguante
Início LFC: 12h17
Final LFC: 19h58
Cor: Roxo ⚜ Incenso: Rosas
Fordicálias, festas romanas em honra de Tellus, a personificação da Terra

16/4 domingo
Signo da Lua: Peixes
Fase da Lua: Minguante
Cor: Lilás ⚜ Incenso: Sálvia
Festival em honra do deus grego Apolo
Antigo festival a deusa Tellus, muitas vezes chamada Tellus Mater, a Mãe Terra

17/4 segunda-feira
Signo da Lua: Áries às 22h10
Fase da Lua: Minguante (Lua Negra)
Início LFC: 15h58
Final LFC: 22h10
Cor: Laranja ⚜ Incenso: Eucalipto

18/4 terça-feira
Signo da Lua: Áries
Fase da Lua: Minguante (Lua Negra)
Cor: Marrom ⚜ Incenso: Sândalo

19/4 quarta-feira
Signo da Lua: Áries
Fase da Lua: Minguante (Lua Negra)
Cor: Branco ⚜ Incenso: Laranja

20/4 quinta-feira
Signo da Lua: Touro à 1h31
Fase da Lua: Nova à 1h14
O Sol entra em Touro às 5h15
Eclipse anular total do Sol à 1h14
Início LFC: 1h14
Final LFC: 1h31
Cor: Vermelho ⚜ Incenso: Jasmim

21/4 sexta-feira
Signo da Lua: Touro
Fase da Lua: Nova
Cor: Verde ♣ Incenso: Cravo-da-
-índia
*Parílias, festas romanas em honra de
Pales, deusa dos pastores e das pastagens
Tiradentes*

22/4 sábado
Signo da Lua: Gêmeos às 7h12
Fase da Lua: Nova
Início LFC: 0h42
Final LFC: 7h12
Cor: Cinza ♣ Incenso: Erva-cidreira
Dia da Terra

23/4 domingo
Signo da Lua: Gêmeos
Fase da Lua: Nova
Cor: Amarelo ♣ Incenso: Sândalo
*Vinálias, festas romanas em honra de
Júpiter
Dia de São Jorge*

24/4 segunda-feira
Signo da Lua: Câncer às 16h00
Fase da Lua: Nova
Início LFC: 9h16
Final LFC: 16h00
Cor: Preto ♣ Incenso: Rosas
*Véspera do Dia de São Marcos, uma
das noites tradicionais para se adivinhar
o futuro*

25/4 terça-feira
Signo da Lua: Câncer
Fase da Lua: Nova
Cor: Preto ♣ Incenso: Sálvia
*Robigálias, festas romanas em honra de
Robigo, deus dos trigais*

26/4 quarta-feira
Signo da Lua: Câncer
Fase da Lua: Nova
Início LFC: 20h42
Cor: Marrom ♣ Incenso:
Canela

27/4 quinta-feira
Signo da Lua: Leão às 3h31
Fase da Lua: Crescente às 18h21
Final LFC: 3h31
Cor: Azul-marinho ♣ Incenso:
Violetas

28/4 sexta-feira
Signo da Lua: Leão
Fase da Lua: Crescente
Cor: Laranja ♣ Incenso: Eucalipto
*Florálias, festas romanas em honra de
Flora, deusa da primavera e dos prazeres
da juventude*

29/4 sábado
Signo da Lua: Virgem às 16h00
Fase da Lua: Crescente
Início LFC: 7h54
Final LFC: 16h00
Cor: Cor-de-rosa ♣ Incenso:
Manjericão

30/4 domingo
Signo da Lua: Virgem
Fase da Lua: Crescente
Cor: Cinza ♣ Incenso: Dama-da-
-noite
*Beltane – Véspera de Maio (HN)
Samhain (HS)*

Maio de 2023

Maio, o mês dos casamentos, tem esse nome graças à deusa Maia, uma das Sete Irmãs Gregas (As Plêiades) e mãe de Hermes. Maio é o mês tradicional das festas e dos jogos de amor. O Dia de Maio é um dos mais importantes do ano. Ele recebe muitos nomes diferentes, um deles é La Beltaine. Beltane e a sexta estação do ano, da união mística. Por tradição, maio é o mês do surgimento da Deusa Mãe na Terra, seja na forma das Deusas da Wicca, de Mãe Maria e de várias deusas de outras religiões. Ela também é a representante do arquétipo da Mãe. A esmeralda é a pedra natal de maio.

1/5 segunda-feira
Signo da Lua: Virgem
Fase da Lua: Crescente
Início LFC: 20h54
Cor: Amarelo ♣ Incenso: Violetas
Festival de Belenus, deus celta do fogo e do Sol
Festa romana a Fauna, deusa da fertilidade
Dia do Trabalho
Dia de Maio

2/5 terça-feira
Signo da Lua: Libra às 3h10
Fase da Lua: Crescente
Final LFC: 3h10
Cor: Cinza ♣ Incenso: Eucalipto

3/5 quarta-feira
Signo da Lua: Libra
Fase da Lua: Crescente
Cor: Lilás ♣ Incenso: Erva-cidreira

4/5 quinta-feira
Signo da Lua: Escorpião às 11h33
Fase da Lua: Crescente
Início LFC: 6h18
Final LFC: 11h33
Cor: Cor-de-rosa ♣ Incenso: Cedro

5/5 sexta-feira
Signo da Lua: Escorpião
Fase da Lua: Cheia às 14h35
(Lua Rosa)
Eclipse anular da Lua às 14h35
Cor: Branco ♣ Incenso: Alfazema

6/5 sábado
Signo da Lua: Sagitário às 17h06
Fase da Lua: Cheia
Início LFC: 11h39
Final LFC: 17h05
Cor: Cinza ♣ Incenso: Hortênsia

7/5 domingo
Signo da Lua: Sagitário
Fase da Lua: Cheia
Cor: Azul-marinho ♣ Incenso: Rosas

8/5 segunda-feira
Signo da Lua: Capricórnio às 20h34
Fase da Lua: Cheia
Início LFC: 17h29
Final LFC: 20h34
Cor: Amarelo ♣ Incenso: Dama-da-noite
Festival da Mente, deusa romana da inteligência e da espirituosidade

9/5 terça-feira
Signo da Lua: Capricórnio
Fase da Lua: Cheia
Cor: Preto ☙ Incenso: Manjericão
Lemúrias, festas romanas para afastar os Lêmures, maus espíritos, celebradas também nos dias 11 e 13 de maio

10/5 quarta-feira
Signo da Lua: Aquário às 23h07
Fase da Lua: Cheia
Início LFC: 20h53
Final LFC: 23h07
Cor: Amarelo ☙ Incenso: Sândalo

11/5 quinta-feira
Signo da Lua: Aquário
Fase da Lua: Cheia
Cor: Vermelho ☙ Incenso: Cravo-da-índia

12/5 sexta-feira
Signo da Lua: Aquário
Fase da Lua: Minguante às 11h29
Cor: Verde ☙ Incenso: Jasmim

13/5 sábado
Signo da Lua: Peixes à 1h40
Fase da Lua: Minguante
Início LFC: 0h16
Final LFC: 1h40
Cor: Azul ☙ Incenso: Laranja

14/5 domingo
Signo da Lua: Peixes
Fase da Lua: Minguante
Início LFC: 23h58
Cor: Roxo ☙ Incenso: Sálvia
Dia das Mães

15/5 segunda-feira
Signo da Lua: Áries às 4h57
Fase da Lua: Minguante
Final LFC: 4h57
Cor: Lilás ☙ Incenso: Rosas
Mercuriais, festas romanas em honra de Mercúrio, deus do comércio

16/5 terça-feira
Signo da Lua: Áries
Fase da Lua: Minguante (Lua Negra)
Cor: Preto ☙ Incenso: Eucalipto

17/5 quarta-feira
Signo da Lua: Touro às 9h29
Fase da Lua: Minguante (Lua Negra)
Início LFC: 6h11
Final LFC: 9h29
Cor: Marrom ☙ Incenso: Manjericão
Festival de Dea Dia, a deusa em seu aspecto cosmos, mãe de todos nós

18/5 quinta-feira
Signo da Lua: Touro
Fase da Lua: Minguante (Lua Negra)
Cor: Azul-marinho ☙ Incenso: Violetas
Dia consagrado a Apolo, deus greco-romano da música, da poesia, da divinação e da luz do sol

19/5 sexta-feira
Signo da Lua: Gêmeos às 15h49
Fase da Lua: Nova às 12h54
Início LFC: 14h52
Final LFC: 15h49
Cor: Vermelho ☙ Incenso: Cedro

20/5 sábado
Signo da Lua: Gêmeos
Fase da Lua: Nova
Cor: Laranja ❧ Incenso: Alfazema
Dia de Atenas na Grécia

21/5 domingo
Signo da Lua: Gêmeos
Fase da Lua: Nova
O Sol entra em Gêmeos às 4h10
Início LFC: 19h13
Cor: Cinza ❧ Incenso: Hortênsia
Celebração da deusa celta Maeve, deusa da sabedoria da terra

22/5 segunda-feira
Signo da Lua: Câncer à 0h30
Fase da Lua: Nova
Final LFC: 0h30
Cor: Cor-de-rosa ❧ Incenso: Dama-da-noite

23/5 terça-feira
Signo da Lua: Câncer
Fase da Lua: Nova
Cor: Lilás ❧ Incenso: Jasmim
Festival das Rosas, em homenagem à deusa romana Flora

24/5 quarta-feira
Signo da Lua: Leão às 11h36
Fase da Lua: Nova
Início LFC: 6h13
Final LFC: 11h36
Cor: Branco ❧ Incenso: Erva-cidreira

25/5 quinta-feira
Signo da Lua: Leão
Fase da Lua: Nova
Cor: Marrom ❧ Incenso: Sândalo

26/5 sexta-feira
Signo da Lua: Leão
Fase da Lua: Nova
Início LFC: 3h39
Cor: Amarelo ❧ Incenso: Rosas

27/5 sábado
Signo da Lua: Virgem à 0h06
Fase da Lua: Crescente 12h23
Final LFC: 0h06
Cor: Verde ❧ Incenso: Manjericão

28/5 domingo
Signo da Lua: Virgem
Fase da Lua: Crescente
Cor: Preto ❧ Incenso: Alfazema

29/5 segunda-feira
Signo da Lua: Libra às 11h52
Fase da Lua: Crescente
Início LFC: 6h47
Final LFC: 11h52
Cor: Azul ❧ Incenso: Eucalipto

30/5 terça-feira
Signo da Lua: Libra
Fase da Lua: Crescente
Cor: Roxo ❧ Incenso: Hortênsia

31/5 quarta-feira
Signo da Lua: Escorpião às 20h46
Fase da Lua: Crescente
Início LFC: 11h55
Final LFC: 20h46
Cor: Azul-marinho ❧ Incenso: Cedro
Selistérnio romano, festival de Ísis como Stella Maris (Estrela do Mar)

Junho de 2023

O nome do mês de junho deriva da grande Deusa Mãe dos romanos, Juno, a Hera grega. Como Juno é a guardiã divina do sexo feminino, o mês de junho é muito favorável para casamentos. Em 21 de junho ou nas proximidades dessa data é o solstício de verão, o festival do Meio de Verão, o anglo-saxão Litha. Os povos europeus celebravam o solstício de verão com vários rituais, encantamentos, práticas oraculares, festas, danças e feiras. A pedra natal de junho é a ágata.

1/6 quinta-feira
Signo da Lua: Escorpião
Fase da Lua: Crescente
Cor: Branco ⚜ Incenso: Manjericão
Festival consagrado a Carna, a deusa romana das portas e fechaduras, protetora da vida familiar.
Festa romana de Juno Moneta

2/6 sexta-feira
Signo da Lua: Escorpião
Fase da Lua: Crescente
Início LFC: 21h52
Cor: Amarelo ⚜ Incenso: Erva-cidreira
Dia consagrado à Mãe Terra, em seu aspecto fértil

3/6 sábado
Signo da Lua: Sagitário às 2h05
Fase da Lua: Crescente
Final LFC: 2h05
Cor: Laranja ⚜ Incenso: Cedro
Belonárias, festas romanas em honra de Belona, deusa da guerra

4/6 domingo
Signo da Lua: Sagitário
Fase da Lua: Cheia à 0h43
Cor: Verde ⚜ Incenso: Dama-da-noite

5/6 segunda-feira
Signo da Lua: Capricórnio às 4h32
Fase da Lua: Cheia
Início LFC: 0h25
Final LFC: 4h32
Cor: Vermelho ⚜ Incenso: Canela

6/6 terça-feira
Signo da Lua: Capricórnio
Fase da Lua: Cheia
Cor: Azul ⚜ Incenso: Hortênsia

7/6 quarta-feira
Signo da Lua: Aquário às 5h43
Fase da Lua: Cheia
Início LFC: 1h41
Final LFC: 5h43
Cor: Roxo ⚜ Incenso: Cravo-da-índia
Vestálias, festas romanas em honra de Vesta, deusa do fogo doméstico

8/6 quinta-feira
Signo da Lua: Aquário
Fase da Lua: Cheia
Cor: Lilás ⚜ Incenso: Erva-cidreira
Festival romano da consciência, personificado pela deusa Mens, a mente
Corpus Christi

9/6 sexta-feira
Signo da Lua: Peixes às 7h15
Fase da Lua: Cheia
Início LFC: 1h25
Final LFC: 7h15
Cor: Preto ♣ Incenso: Sândalo

10/6 sábado
Signo da Lua: Peixes
Fase da Lua: Minguante às 16h33
Cor: Marrom ♣ Incenso: Sálvia

11/6 domingo
Signo da Lua: Áries às 10h22
Fase da Lua: Minguante
Início LFC: 10h21
Final LFC: 10h22
Cor: Laranja ♣ Incenso: Eucalipto
Matrálias, festas romanas em honra de Matuta, padroeira das tias

12/6 segunda-feira
Signo da Lua: Áries
Fase da Lua: Minguante
Cor: Azul-marinho ♣ Incenso: Violetas
Véspera de Santo Antônio, dia tradicional das simpatias de amor
Dia dos Namorados

13/6 terça-feira
Signo da Lua: Touro às 15h32
Fase da Lua: Minguante
Início LFC: 15h28
Final LFC: 15h32
Cor: Cor-de-rosa ♣ Incenso: Laranja
Dia de Santo Antônio

14/6 quarta-feira
Signo da Lua: Touro
Fase da Lua: Minguante
Cor: Cinza ♣ Incenso: Cedro

15/6 quinta-feira
Signo da Lua: Gêmeos às 22h47
Fase da Lua: Minguante (Lua Negra)
Início LFC: 22h38
Final LFC: 22h47
Cor: Branco ♣ Incenso: Rosas

16/6 sexta-feira
Signo da Lua: Gêmeos
Fase da Lua: Minguante (Lua Negra)
Cor: Verde ♣ Incenso: Canela

17/6 sábado
Signo da Lua: Gêmeos
Fase da Lua: Minguante (Lua Negra)
Cor: Vermelho ♣ Incenso: Erva-cidreira
Festival romano de Ludi Piscatari, festival dos pescadores

18/6 domingo
Signo da Lua: Câncer às 7h59
Fase da Lua: Nova à 1h38
Início LFC: 3h25
Final LFC: 7h59
Cor: Azul ♣ Incenso: Dama-da-noite

19/6 segunda-feira
Signo da Lua: Câncer
Fase da Lua: Nova
Cor: Cor-de-rosa ♣ Incenso: Laranja
Dia de Cerridween no paganismo

20/6 terça-feira
Signo da Lua: Leão às 19h05
Fase da Lua: Nova
Início LFC: 18h44
Final LFC: 19h05
Cor: Azul-marinho ♣ Incenso: Erva-cidreira

21/6 quarta-feira
Signo da Lua: Leão
Fase da Lua: Nova
Início do Inverno às 11h59
O Sol entra em Câncer às 11h59
Cor: Laranja ♣ Incenso: Dama-da-noite
Litha: Solstício de Verão (HN)
Yule: Solstício de Inverno (HS)

22/6 quinta-feira
Signo da Lua: Leão
Fase da Lua: Nova
Início LFC: 14h02
Cor: Cor-de-rosa ♣ Incenso: Manjericão
Dia de Cu Chulainn no druidismo

23/6 sexta-feira
Signo da Lua: Virgem às 7h36
Fase da Lua: Nova
Final LFC: 7h36
Cor: Marrom ♣ Incenso: Laranja
Véspera de São João, dia tradicional das comemorações do solstício de verão no Hemisfério Norte.

24/6 sábado
Signo da Lua: Virgem
Fase da Lua: Nova
Cor: Branco ♣ Incenso: Sândalo
Dia de São João

25/6 domingo
Signo da Lua: Libra às 19h58
Fase da Lua: Nova
Início LFC: 19h25
Final LFC: 19h58
Cor: Lilás ♣ Incenso: Alfazema

26/6 segunda-feira
Signo da Lua: Libra
Fase da Lua: Crescente às 4h51
Cor: Cinza ♣ Incenso: Dama-da-noite

27/6 terça-feira
Signo da Lua: Libra
Fase da Lua: Crescente
Cor: Verde ♣ Incenso: Manjericão
Início do festival romano de Initium Aestatis, festival do início do verão

28/6 quarta-feira
Signo da Lua: Escorpião às 5h57
Fase da Lua: Crescente
Início LFC: 5h20
Final LFC: 5h57
Cor: Vermelho ♣ Incenso: Rosas

29/6 quinta-feira
Signo da Lua: Escorpião
Fase da Lua: Crescente
Cor: Amarelo ♣ Incenso: Sândalo
Dia de São Pedro

30/6 sexta-feira
Signo da Lua: Sagitário às 12h01
Fase da Lua: Crescente
Início LFC: 11h21
Final LFC: 12h01
Cor: Azul ♣ Incenso: Eucalipto

Julho de 2023

Julho recebeu esse nome graças a Júlio César, que reorganizou o antes caótico calendário romano, dando-lhe a forma do calendário juliano. Esse novo calendário foi implantado no ano 46 a.C., conhecido como o ano da confusão, depois do caos provocado pela troca de calendários. O calendário juliano tornou-se o mais usado no Ocidente nos 1600 anos seguintes. Foi substituído nos países católicos pelo calendário gregoriano no ano de 1582. A pedra de julho é o rubi.

1/7 sábado
Signo da Lua: Sagitário
Fase da Lua: Crescente
Cor: Azul-marinho ♣ Incenso: Manjericão

2/7 domingo
Signo da Lua: Capricórnio às 14h21
Fase da Lua: Crescente
Início LFC: 10h34
Final LFC: 14h21
Cor: Marrom ⚘ Incenso: Violetas

3/7 segunda-feira
Signo da Lua: Capricórnio
Fase da Lua: Cheia 8h40
Cor: Roxo ⚘ Incenso: Cedro
Festival celta celebrando a deusa Cerridwen, a Detentora do caldeirão Sagrado

4/7 terça-feira
Signo da Lua: Aquário às 14h31
Fase da Lua: Cheia
Início LFC: 14h47
Final LFC: 14h31
Cor: Branco ⚘ Incenso: Rosas

5/7 quarta-feira
Signo da Lua: Aquário
Fase da Lua: Cheia
Cor: Amarelo ⚘ Incenso: Alfazema

6/7 quinta-feira
Signo da Lua: Peixes às 14h34
Fase da Lua: Cheia
Início LFC: 10h43
Final LFC: 14h34
Cor: Verde ⚘ Incenso: Canela

7/7 sexta-feira
Signo da Lua: Peixes
Fase da Lua: Cheia
Cor: Vermelho ⚘ Incenso: Sálvia
Festival romano da Consuália, em homenagem a Consus, o deus da colheita

8/7 sábado
Signo da Lua: Áries às 16h20
Fase da Lua: Cheia
Início LFC: 15h23
Final LFC: 16h20
Cor: Branco ⚘ Incenso: Rosas

9/7 domingo
Signo da Lua: Áries
Fase da Lua: Minguante 22h49
Cor: Preto ⚘ Incenso: Sândalo
Revolução Constitucionalista

10/7 segunda-feira
Signo da Lua: Touro às 20h57
Fase da Lua: Minguante
Início LFC: 20h12
Final LFC: 20h57
Cor: Azul ⚘ Incenso: Erva-cidreira

11/7 terça-feira
Signo da Lua: Touro
Fase da Lua: Minguante
Cor: Laranja ⚘ Incenso: Hortênsia
Dia do deus egípcio Hórus

12/7 quarta-feira
Signo da Lua: Touro
Fase da Lua: Minguante
Cor: Azul-marinho ⚘ Incenso: Cravo-da-índia
Dia do deus egípcio Set
Adônia, festa grega do amor

13/7 quinta-feira
Signo da Lua: Gêmeos às 4h27
Fase da Lua: Minguante
Início LFC: 3h12
Final LFC: 4h27
Cor: Cor-de-rosa ⚘ Incenso: Jasmim

14/7 sexta-feira
Signo da Lua: Gêmeos
Fase da Lua: Minguante (Lua Negra)
Cor: Preto ⚘ Incenso: Laranja

15/7 sábado
Signo da Lua: Câncer às 14h15
Fase da Lua: Minguante (Lua Negra)
Início LFC: 9h37
Final LFC: 14h15
Cor: Amarelo ☙ Incenso: Dama-da--noite
Dia da deusa egípcia Néftis

16/7 domingo
Signo da Lua: Câncer
Fase da Lua: Minguante (Lua Negra)
Cor: Verde ☙ Incenso: Hortênsia

17/7 segunda-feira
Signo da Lua: Câncer
Fase da Lua: Nova às 15h33
Cor: Vermelho ☙ Incenso: Alfazema
Noite egípcia do Berço

18/7 terça-feira
Signo da Lua: Leão à 1h41
Fase da Lua: Nova
Início LFC: 0h07
Final LFC: 1h41
Cor: Marrom ☙ Incenso: Rosas
Noite egípcia da Gota

19/7 quarta-feira
Signo da Lua: Leão
Fase da Lua: Nova
Cor: Roxo ☙ Incenso: Hortênsia

20/7 quinta-feira
Signo da Lua: Virgem às 14h14
Fase da Lua: Nova
Início LFC: 11h10
Final LFC: 14h14
Cor: Laranja ☙ Incenso: Alfazema

21/7 sexta-feira
Signo da Lua: Virgem
Fase da Lua: Nova
Cor: Azul-marinho ☙ Incenso: Cedro

22/7 sábado
Signo da Lua: Virgem
Fase da Lua: Nova
O Sol entra em Leão às 22h52
Cor: Branco ☙ Incenso: Canela

23/7 domingo
Signo da Lua: Libra às 2h55
Fase da Lua: Nova
Início LFC: 1h07
Final LFC: 2h55
Cor: Amarelo ☙ Incenso: Hortênsia
Neptunais, festas e jogos romanos em honra de Netuno, deus dos mares

24/7 segunda-feira
Signo da Lua: Libra
Fase da Lua: Nova
Cor: Roxo ☙ Incenso: Dama-da--noite

25/7 terça-feira
Signo da Lua: Escorpião às 13h56
Fase da Lua: Crescente às 19h08
Início LFC: 12h06
Final LFC: 13h56
Cor: Lilás ☙ Incenso: Laranja

26/7 quarta-feira
Signo da Lua: Escorpião
Fase da Lua: Crescente
Cor: Preto ☙ Incenso: Jasmim

27/7 quinta-feira
Signo da Lua: Sagitário às 21h25
Fase da Lua: Crescente
Início LFC: 19h37
Final LFC: 21h25
Cor: Azul ☙ Incenso: Cravo-da-índia

28/7 sexta-feira
Signo da Lua: Sagitário
Fase da Lua: Crescente
Cor: Marrom ☙ Incenso: Manjericão

29/7 sábado
Signo da Lua: Sagitário
Fase da Lua: Crescente
Início LFC: 20h52
Final LFC: 0h45
Cor: Branco ⚜ Incenso: Violetas

30/7 domingo
Signo da Lua: Capricórnio à 0h45
Fase da Lua: Crescente
Cor: Preto ⚜ Incenso: Rosas

31/7 segunda-feira
Signo da Lua: Capricórnio
Fase da Lua: Crescente
Início LFC: 23h14
Cor: Cinza ⚜ Incenso: Canela

Agosto de 2023

Agosto tem esse nome graças ao primeiro imperador romano, Augusto César. No primeiro dia deste mês comemora-se o festival de Lammas. Muitos pagãos o chamam de Lughnassadh, a pronúncia irlandesa do nome moderno irlandês Lunasa. Lammas é a primeira colheita do ano, a colheita dos grãos. Esse mês é consagrado ao deus da sabedoria, Lugh. A pedra natal de agosto é a sardônica, um tipo de ônix.

1/8 terça-feira
Signo da Lua: Aquário à 0h59
Fase da Lua: Cheia às 15h33
(Lua Rosa)
Final LFC: 0h59
Cor: Verde ⚜ Incenso: Erva-cidreira
Festival de Lug, deus-herói celta
Lammas (HN)
Imbolc (HS)

2/8 quarta-feira
Signo da Lua: Aquário
Fase da Lua: Cheia
Início LFC: 18h17
Cor: Azul ⚜ Incenso: Eucalipto

3/8 quinta-feira
Signo da Lua: Peixes à 0h07
Fase da Lua: Cheia
Final LFC: 0h07
Cor: Laranja ⚜ Incenso: Hortênsia

4/8 sexta-feira
Signo da Lua: Peixes
Fase da Lua: Cheia
Início LFC: 22h22
Cor: Cor-de-rosa ⚜ Incenso: Dama-da-noite

5/8 sábado
Signo da Lua: Áries à 0h20
Fase da Lua: Cheia
Final LFC: 0h20
Cor: Cinza ⚜ Incenso: Jasmim

6/8 domingo
Signo da Lua: Áries
Fase da Lua: Cheia
Cor: Branco ⚜ Incenso: Laranja

7/8 segunda-feira
Signo da Lua: Touro às 3h26
Fase da Lua: Cheia
Início LFC: 1h14
Final LFC: 3h26

Cor: Amarelo ⚜ Incenso: Manjericão
Festa egípcia da Inebriação em honra a Hathor

8/8 terça-feira
Signo da Lua: Touro
Fase da Lua: Minguante às 7h30
Cor: Verde ⚜ Incenso: Cravo-da-índia

9/8 quarta-feira
Signo da Lua: Gêmeos às 10h06
Fase da Lua: Minguante
Início LFC: 7h40
Final LFC: 10h06
Cor: Vermelho ⚜ Incenso: Sândalo
Festival dos Espíritos do Fogo no neopaganismo

10/8 quinta-feira
Signo da Lua: Gêmeos
Fase da Lua: Minguante
Cor: Roxo ⚜ Incenso: Rosas

11/8 sexta-feira
Signo da Lua: Câncer às 19h53
Fase da Lua: Minguante
Início LFC: 14h28
Final LFC: 19h53
Cor: Azul ⚜ Incenso: Sálvia

12/8 sábado
Signo da Lua: Câncer
Fase da Lua: Minguante
Cor: Preto ⚜ Incenso: Erva-cidreira
Festival egípcio das Luzes de Ísis

13/8 domingo
Signo da Lua: Câncer
Fase da Lua: Minguante (Lua Negra)
Cor: Marrom ⚜ Incenso: Cedro
Festival da deusa Hécate, deusa que protege dos perigos e das maldições
Dia dos Pais

14/8 segunda-feira
Signo da Lua: Leão às 7h37
Fase da Lua: Minguante (Lua Negra)
Início LFC: 4h48
Final LFC: 7h37
Cor: Azul-marinho ⚜ Incenso: Laranja

15/8 terça-feira
Signo da Lua: Leão
Fase da Lua: Minguante (Lua Negra)
Cor: Laranja ⚜ Incenso: Jasmim
Nemorálias romanas, festa das mulheres e da luz

16/8 quarta-feira
Signo da Lua: Virgem às 20h15
Fase da Lua: Nova às 6h39
Início LFC: 6h39
Final LFC: 20h15
Cor: Cor-de-rosa ⚜ Incenso: Cravo-da-índia

17/8 quinta-feira
Signo da Lua: Virgem
Fase da Lua: Nova
Cor: Cinza ⚜ Incenso: Erva-cidreira
Portumnálias, festas romanas em honra de Portumno, deus dos portos

18/8 sexta-feira
Signo da Lua: Virgem
Fase da Lua: Nova
Cor: Branco ⚜ Incenso: Sândalo

19/8 sábado-feira
Signo da Lua: Libra às 8h55
Fase da Lua: Nova
Início LFC: 5h52
Final LFC: 8h55
Cor: Amarelo ⚜ Incenso: Canela
Vinálias, festas romanas em honra de Vênus, deusa do amor

20/8 domingo
Signo da Lua: Libra
Fase da Lua: Nova
Cor: Verde 🍃 Incenso: Violetas

21/8 segunda-feira
Signo da Lua: Escorpião às 20h23
Fase da Lua: Nova
Início LFC: 17h32
Final LFC: 20h23
Cor: Vermelho 🍃 Incenso: Cedro
Consuálias, festas romanas em honra de Conso, deus do conselho

22/8 terça-feira
Signo da Lua: Escorpião
Fase da Lua: Nova
Cor: Azul 🍃 Incenso: Laranja

23/8 quarta-feira
Signo da Lua: Escorpião
Fase da Lua: Nova
O Sol entra em Virgem às 6h02
Cor: Marrom 🍃 Incenso: Eucalipto
Vulcanálias, festival romano em honra de Vulcano, deus do fogo e dos vulcões
Dia da deusa grega Nêmesis, defensora das relíquias e da memória dos mortos

24/8 quinta-feira
Signo da Lua: Sagitário às 5h09
Fase da Lua: Crescente às 6h58
Início LFC: 2h11
Final LFC: 5h09
Cor: Lilás 🍃 Incenso: Rosas
Festival em homenagem aos Manes, espíritos dos ancestrais

25/8 sexta-feira
Signo da Lua: Sagitário
Fase da Lua: Crescente
Cor: Roxo 🍃 Incenso: Dama-da-noite
Opiconsívias

26/8 sábado
Signo da Lua: Capricórnio às 10h06
Fase da Lua: Crescente
Início LFC: 8h57
Final LFC: 10h06
Cor: Preto 🍃 Incenso: Sálvia

27/8 domingo
Signo da Lua: Capricórnio
Fase da Lua: Crescente
Cor: Azul-marinho 🍃 Incenso: Erva-cidreira

28/8 segunda-feira
Signo da Lua: Aquário às 11h33
Fase da Lua: Crescente
Início LFC: 8h50
Final LFC: 11h33
Cor: Azul 🍃 Incenso: Jasmim

29/8 terça-feira
Signo da Lua: Aquário
Fase da Lua: Crescente
Cor: Laranja 🍃 Incenso: Eucalipto

30/8 quarta-feira
Signo da Lua: Peixes às 10h58
Fase da Lua: Cheia às 22h37 (Lua Azul)
Início LFC: 0h05
Final LFC: 10h58
Cor: Cor-de-rosa 🍃 Incenso: Manjericão

31/8 quinta-feira
Signo da Lua: Peixes
Fase da Lua: Cheia
Cor: Cinza 🍃 Incenso: Violetas

Setembro de 2023

Setembro tem esse nome porque é o sétimo mês do calendário romano. Os nomes dos três meses seguintes também foram nomeados desse modo. A deusa Pomona, patrona das frutas e das árvores frutíferas, é a deusa regente do mês de setembro. Em vários países do Hemisfério Norte, era celebrado o equinócio de outono, chamado de Mabon. Reconhecia-se e comemorava-se a diminuição da luz, do calor e do ritmo de vida. A pedra de setembro é a safira.

1/9 sexta-feira
Signo da Lua: Áries às 10h26
Fase da Lua: Cheia
Início LFC: 7h37
Final LFC: 10h26
Cor: Branco ☘ Incenso: Hortênsia

2/9 sábado
Signo da Lua: Áries
Fase da Lua: Cheia
Cor: Azul ☘ Incenso: Laranja
Festejos a Ariadne e a Dionísio na Grécia

3/9 domingo
Signo da Lua: Touro às 12h01
Fase da Lua: Cheia
Início LFC: 8h58
Final LFC: 12h01
Cor: Amarelo ☘ Incenso: Cravo-da-índia

4/9 segunda-feira
Signo da Lua: Touro
Fase da Lua: Cheia
Cor: Lilás ☘ Incenso: Erva-cidreira

5/9 terça-feira
Signo da Lua: Gêmeos às 17h08
Fase da Lua: Cheia
Início LFC: 13h47
Final LFC: 17h08
Cor: Roxo ☘ Incenso: Dama-da-noite

6/9 quarta-feira
Signo da Lua: Gêmeos
Fase da Lua: Minguante às 19h22
Cor: Preto ☘ Incenso: Rosas

7/9 quinta-feira
Signo da Lua: Gêmeos
Fase da Lua: Minguante
Início LFC: 19h23
Cor: Vermelho ☘ Incenso: Manjericão
Independência do Brasil

8/9 sexta-feira
Signo da Lua: Câncer às 2h01
Fase da Lua: Minguante
Final LFC: 2h01
Cor: Marrom ☘ Incenso: Cravo-da-índia

9/9 sábado
Signo da Lua: Câncer
Fase da Lua: Minguante
Cor: Azul ☘ Incenso: Alfazema

10/9 domingo
Signo da Lua: Leão às 13h37
Fase da Lua: Minguante
Início LFC: 9h48
Final LFC: 13h37
Cor: Azul-marinho ☘ Incenso: Eucalipto

11/9 segunda-feira
Signo da Lua: Leão
Fase da Lua: Minguante (Lua Negra)
Cor: Branco ❧ Incenso: Violetas
Dias das Rainhas no Egito

12/9 terça-feira
Signo da Lua: Leão
Fase da Lua: Minguante (Lua Negra)
Início LFC: 12h07
Cor: Cinza ❧ Incenso: Manjericão

13/9 quarta-feira
Signo da Lua: Virgem às 2h19
Fase da Lua: Minguante (Lua Negra)
Final LFC: 2h19
Cor: Verde ❧ Incenso: Cedro
Festival romano do Lectistérnio, em homenagem a Júpiter, Juno e Minerva, praticado nos tempos de calamidade pública

14/9 quinta-feira
Signo da Lua: Virgem
Fase da Lua: Nova às 22h41
Cor: Amarelo ❧ Incenso: Violetas

15/9 sexta-feira
Signo da Lua: Libra às 14h46
Fase da Lua: Nova
Início LFC: 10h51
Final LFC: 14h46
Cor: Verde ❧ Incenso: Cravo-da-índia

16/9 sábado
Signo da Lua: Libra
Fase da Lua: Nova
Cor: Vermelho ❧ Incenso: Rosas

17/9 domingo
Signo da Lua: Libra
Fase da Lua: Nova
Início LFC: 22h07
Cor: Azul ❧ Incenso: Sândalo

Honras a Deméter na Grécia
Celebração egípcia do aniversário de Hathor

18/9 segunda-feira
Signo da Lua: Escorpião à 1h59
Fase da Lua: Nova
Final LFC: 1h59
Cor: Azul-marinho ❧ Incenso: Sálvia

19/9 terça-feira
Signo da Lua: Escorpião
Fase da Lua: Nova
Cor: Lilás ❧ Incenso: Cedro
Festival egípcio em honra a Thoth, deus da sabedoria e da magia

20/9 quarta-feira
Signo da Lua: Sagitário às 11h07
Fase da Lua: Nova
Início LFC: 7h23
Final LFC: 11h07
Cor: Roxo ❧ Incenso: Eucalipto

21/9 quinta-feira
Signo da Lua: Sagitário
Fase da Lua: Nova
Cor: Amarelo ❧ Incenso: Violetas
Festival egípcio da Vida Divina, dedicado a deusa tríplice
Mistérios Eleusinos Maiores

22/9 sexta-feira
Signo da Lua: Capricórnio às 17h21
Fase da Lua: Crescente às 16h33
Início LFC: 16h33
Final LFC: 17h21
Cor: Cinza ❧ Incenso: Jasmim
Mabon: Equinócio de Outono (HN)
Ostara: Equinócio de Primavera (HS)

23/9 sábado
Signo da Lua: Capricórnio
Fase da Lua: Crescente

O Sol entra em Libra às 3h51
Início da Primavera às 3h51
Cor: Branco ☙ Incenso: Eucalipto

24/9 domingo
Signo da Lua: Aquário às 20h31
Fase da Lua: Crescente
Início LFC: 17h07
Final LFC: 20h31
Cor: Amarelo ☙ Incenso: Dama-da-noite

25/9 segunda-feira
Signo da Lua: Aquário
Fase da Lua: Crescente
Cor: Vermelho ☙ Incenso: Laranja

26/9 terça-feira
Signo da Lua: Peixes às 21h19
Fase da Lua: Crescente
Início LFC: 9h40
Final LFC: 21h19
Cor: Verde ☙ Incenso: Jasmim
Festival chinês a Chang-O, deusa da Lua

27/9 quarta-feira
Signo da Lua: Peixes
Fase da Lua: Crescente
Cor: Azul ☙ Incenso: Cravo-da-índia

28/9 quinta-feira
Signo da Lua: Áries às 21h18
Fase da Lua: Crescente
Início LFC: 17h59
Final LFC: 21h18
Cor: Roxo ☙ Incenso: Hortênsia
Festival a Deméter na Grécia

29/9 sexta-feira
Signo da Lua: Áries
Fase da Lua: Cheia às 6h59
Cor: Lilás ☙ Incenso: Canela

30/9 sábado
Signo da Lua: Touro às 22h19
Fase da Lua: Cheia
Início LFC: 18h51
Final LFC: 22h19
Cor: Marrom ☙ Incenso: Violetas
Dia de oferendas a Medetrina, deusa romana da medicina

Outubro de 2023

Outubro, o oitavo mês do ano no calendário romano, é consagrado à deusa Astreia, filha de Zeus e Têmis, que vivia entre os homens durante a Era de Ouro. O último dia de outubro, o Halloween, é o primeiro dia regido pela deusa Samhain. O festival de Samhain começa no pôr do sol do dia 31 de outubro, o Ano Novo da tradição celta. Por tradição, essa é a época das primeiras geadas e da última colheita. A pedra natal deste mês é a opala.

1/10 domingo
Signo da Lua: Touro
Fase da Lua: Cheia
Cor: Azul-marinho ☙ Incenso: Eucalipto
Festival de Fidius, deusa romana da boa fé

2/10 segunda-feira
Signo da Lua: Touro
Fase da Lua: Cheia
Início LFC: 22h21
Cor: Laranja ♣ Incenso: Manjericão
Dia dos Guias Espirituais na Wicca

3/10 terça-feira
Signo da Lua: Gêmeos às 2h04
Fase da Lua: Cheia
Final LFC: 2h04
Cor: Cor-de-rosa ♣ Incenso: Alfazema
Festival de Dionísio
Festa egípcia das Lamentações

4/10 quarta-feira
Signo da Lua: Gêmeos
Fase da Lua: Cheia
Cor: Cinza ♣ Incenso: Violetas
Cerimônia a Ceres, deusa da agricultura

5/10 quinta-feira
Signo da Lua: Câncer às 9h33
Fase da Lua: Cheia
Início LFC: 3h36
Final LFC: 9h33
Cor: Branco ♣ Incenso: Erva-cidreira

6/10 sexta-feira
Signo da Lua: Câncer
Fase da Lua: Minguante 10h49
Cor: Amarelo ♣ Incenso: Rosas

7/10 sábado
Signo da Lua: Leão às 20h26
Fase da Lua: Minguante
Início LFC: 16h13
Final LFC: 20h26
Cor: Azul ♣ Incenso: Hortênsia

8/10 domingo
Signo da Lua: Leão
Fase da Lua: Minguante
Cor: Vermelho ♣ Incenso: Jasmim
Chung Yeung, festival da sorte na China

9/10 segunda-feira
Signo da Lua: Leão
Fase da Lua: Minguante
Cor: Verde ♣ Incenso: Violetas
Festa de Felicidade, deusa romana da sorte e da alegria

10/10 terça-feira
Signo da Lua: Virgem às 9h03
Fase da Lua: Minguante
Início LFC: 6h38
Final LFC: 9h03
Cor: Roxo ♣ Incenso: Dama-da-noite

11/10 quarta-feira
Signo da Lua: Virgem
Fase da Lua: Minguante (Lua Negra)
Cor: Lilás ♣ Incenso: Manjericão
Dia da Anciã das Árvores na Wicca
Meditrinálias, festas romanas em honra de Meditrina, deusa da cura

12/10 quinta-feira
Signo da Lua: Libra às 21h23
Fase da Lua: Minguante (Lua Negra)
Início LFC: 17h12
Final LFC: 21h23
Cor: Preto ♣ Incenso: Laranja
Festival da Fortuna Redux, deusa romana das viagens e dos retornos seguros
Dia de Nossa Senhora Aparecida

13/10 sexta-feira
Signo da Lua: Libra
Fase da Lua: Minguante (Lua Negra)
Cor: Vermelho ♣ Incenso: Sândalo
Fontinálias, festas romanas em honra das ninfas das fontes

14/10 sábado
Signo da Lua: Libra
Fase da Lua: Nova às 14h56
Eclipse anular do Sol às 14h56
Cor: Azul-marinho ♣ Incenso: Laranja

15/10 domingo
Signo da Lua: Escorpião às 8h05
Fase da Lua: Nova
Início LFC: 4h02
Final LFC: 8h05
Cor: Laranja ♣ Incenso: Cedro
Festival de Marte, deus romano da guerra

16/10 segunda-feira
Signo da Lua: Escorpião
Fase da Lua: Nova
Cor: Cor-de-rosa ♣ Incenso: Jasmim

17/10 terça-feira
Signo da Lua: Sagitário às 16h38
Fase da Lua: Nova
Início LFC: 12h45
Final LFC: 16h38
Cor: Cinza ♣ Incenso: Violetas

18/10 quarta-feira
Signo da Lua: Sagitário
Fase da Lua: Nova
Cor: Marrom ♣ Incenso: Cedro
Dia do Deus Astado na Wicca gardneriana

19/10 quinta-feira
Signo da Lua: Capricórnio às 22h56
Fase da Lua: Nova
Início LFC: 16h03
Final LFC: 22h56
Cor: Amarelo ♣ Incenso: Alfazema
Armilústrio, festas romanas em honra de Marte, deus da guerra

20/10 sexta-feira
Signo da Lua: Capricórnio
Fase da Lua: Nova
Cor: Verde ♣ Incenso: Hortênsia

21/10 sábado
Signo da Lua: Capricórnio
Fase da Lua: Nova
Cor: Vermelho ♣ Incenso: Cravo-da-índia

22/10 domingo
Signo da Lua: Aquário às 3h07
Fase da Lua: Crescente à 0h31
Início LFC: 3h02
Final LFC: 3h07
Cor: Branco ♣ Incenso: Alfazema

23/10 segunda-feira
Signo da Lua: Aquário
Fase da Lua: Crescente
Início LFC: 16h05
O Sol entra em Escorpião às 13h22
Cor: Roxo ♣ Incenso: Sândalo

24/10 terça-feira
Signo da Lua: Peixes às 5h34
Fase da Lua: Crescente
Final LFC: 5h34
Cor: Lilás ♣ Incenso: Violetas
Festival do Espírito dos Ares na Wicca e no neopaganismo

25/10 quarta-feira
Signo da Lua: Peixes
Fase da Lua: Crescente
Cor: Marrom ♣ Incenso: Canela

26/10 quinta-feira
Signo da Lua: Áries às 7h03
Fase da Lua: Crescente
Início LFC: 3h40
Final LFC: 7h03
Cor: Preto ♣ Incenso: Rosas

27/10 sexta-feira
Signo da Lua: Áries
Fase da Lua: Crescente
Cor: Azul ☙ Incenso: Erva-cidreira

28/10 sábado
Signo da Lua: Touro às 8h45
Fase da Lua: Cheia às 17h25
(Lua Rosa)
Eclipse parcial da Lua às 17h25
Início LFC: 5h21
Final LFC: 8h45
Cor: Azul-marinho ☙ Incenso: Jasmim
Festival em honra de Isis no Egito

29/10 domingo
Signo da Lua: Touro
Fase da Lua: Cheia
Cor: Laranja ☙ Incenso: Hortênsia

30/10 segunda-feira
Signo da Lua: Gêmeos às 12h09
Fase da Lua: Cheia
Início LFC: 8h37
Final LFC: 12h09
Cor: Cor-de-rosa ☙ Incenso: Violetas

31/10 terça-feira
Signo da Lua: Gêmeos
Fase da Lua: Cheia
Cor: Cinza ☙ Incenso: Laranja
Samhain – Halloween (HN)
Beltane (HS)

Novembro de 2023

Novembro começa com o festival de Samhain, o Dia de Todos os Santos. Na tradição celta, novembro marca o início do ano natural. Samhain era o primeiro dia do antigo ano celta. Embora seja agora o décimo primeiro mês do ano, novembro tem esse nome por ter sido o nono mês do calendário romano. A pedra natal de novembro é o topázio.

1/11 quarta-feira
Signo da Lua: Câncer às 18h31
Fase da Lua: Cheia
Dia de Todos os Santos
Início LFC: 9h38
Final LFC: 18h31
Cor: Branco ☙ Incenso: Canela
Cailleach's Reign, festival em honra da antiga deusa-anciã celta
Dia de Todos os Santos

2/11 quinta-feira
Signo da Lua: Câncer
Fase da Lua: Cheia
Cor: Amarelo ☙ Incenso: Sândalo
Dia das Feiticeiras na Ibéria
Dia de Finados

3/11 sexta-feira
Signo da Lua: Câncer
Fase da Lua: Cheia
Cor: Roxo ☙ Incenso: Alfazema

4/11 sábado
Signo da Lua: Leão às 4h22
Fase da Lua: Cheia

Início LFC: 0h29
Final LFC: 4h22
Cor: Vermelho ♣ Incenso: Rosas

5/11 domingo
Signo da Lua: Leão
Fase da Lua: Minguante às 5h38
Cor: Verde ♣ Incenso: Erva-cidreira

6/11 segunda-feira
Signo da Lua: Virgem às 16h40
Fase da Lua: Minguante
Início LFC: 4h26
Final LFC: 16h40
Cor: Azul ♣ Incenso: Hortênsia
Festival à deusa babilônica Tiamat

7/11 terça-feira
Signo da Lua: Virgem
Fase da Lua: Minguante
Cor: Lilás ♣ Incenso: Eucalipto
Noite da deusa grega Hécate, na Wicca gardneriana

8/11 quarta-feira
Signo da Lua: Virgem
Fase da Lua: Minguante
Cor: Preto ♣ Incenso: Manjericão
Festival romano de Mania, em comemoração aos Manes, espíritos do mundo subterrâneo.

9/11 quinta-feira
Signo da Lua: Libra às 5h09
Fase da Lua: Minguante
Início LFC: 1h56
Final LFC: 5h09
Cor: Marrom ♣ Incenso: Cravo-da-índia

10/11 sexta-feira
Signo da Lua: Libra
Fase da Lua: Minguante (Lua Negra)
Cor: Cor-de-rosa ♣ Incenso: Dama-da-noite

11/11 sábado
Signo da Lua: Escorpião às 15h40
Fase da Lua: Minguante (Lua Negra)
Início LFC: 12h07
Final LFC: 15h40
Cor: Azul-marinho ♣ Incenso: Hortênsia
Lunantshees, festival em honra do povo das fadas na Irlanda

12/11 domingo
Signo da Lua: Escorpião
Fase da Lua: Minguante (Lua Negra)
Cor: Cinza ♣ Incenso: Eucalipto

13/11 segunda-feira
Signo da Lua: Sagitário às 23h24
Fase da Lua: Nova às 6h29
Início LFC: 20h05
Final LFC: 23h24
Cor: Branco ♣ Incenso: Manjericão
Festival romano em honra de Júpiter
Festival romano em honra de Ferônia, a deusa protetora dos libertos

14/11 terça-feira
Signo da Lua: Sagitário
Fase da Lua: Nova
Cor: Laranja ♣ Incenso: Violetas
Festival dos Bardos no druidismo

15/11 quarta-feira
Signo da Lua: Sagitário
Fase da Lua: Nova
Início LFC: 19h58
Cor: Amarelo ♣ Incenso: Cedro
Ferônia, festival pagão do fogo
Proclamação da República

16/11 quinta-feira
Signo da Lua: Capricórnio às 4h43
Fase da Lua: Nova
Final LFC: 4h43
Cor: Verde ♣ Incenso: Rosas
Festival das Luzes, que marca o ano novo hindu

17/11 sexta-feira
Signo da Lua: Capricórnio
Fase da Lua: Nova
Cor: Vermelho ☘ Incenso: Hortênsia

18/11 sábado
Signo da Lua: Aquário às 8h29
Fase da Lua: Nova
Início LFC: 5h29
Final LFC: 8h29
Cor: Roxo ☘ Incenso: Jasmim
Ardvi Sura, festival em honra da deusa persa Aerdi, a Mãe das Estrelas

19/11 domingo
Signo da Lua: Aquário
Fase da Lua: Nova
Cor: Lilás ☘ Incenso: Violetas

20/11 segunda-feira
Signo da Lua: Peixes às 11h30
Fase da Lua: Crescente às 7h51
Início LFC: 7h51
Final LFC: 11h30
Cor: Preto ☘ Incenso: Dama-da-noite
Dia da Consciência Negra

21/11 terça-feira
Signo da Lua: Peixes
Fase da Lua: Crescente
Cor: Marrom ☘ Incenso: Sândalo
Celebração da deusa celta Cailleach, senhora da noite e da morte

22/11 quarta-feira
Signo da Lua: Áries às 14h21
Fase da Lua: Crescente
O Sol entra em Sagitário às 11h04
Início LFC: 12h11
Final LFC: 14h21
Cor: Azul-marinho ☘ Incenso: Laranja
Dia dedicado à deusa greco-romana Ártemis/Diana

23/11 quinta-feira
Signo da Lua: Áries
Fase da Lua: Crescente
Cor: Laranja ☘ Incenso: Canela

24/11 sexta-feira
Signo da Lua: Touro às 17h30
Fase da Lua: Crescente
Início LFC: 14h42
Final LFC: 17h30
Cor: Cor-de-rosa ☘ Incenso: Alfazema
Tori No Ichi, festival da Boa Fortuna no Japão
Festa a Baba Yaga
Honras às deusas egípcias da maternidade

25/11 sábado
Signo da Lua: Touro
Fase da Lua: Crescente
Cor: Cinza ☘ Incenso: Sândalo
Dia consagrado a Perséfone, deusa dos subterrâneos

26/11 domingo
Signo da Lua: Gêmeos às 21h41
Fase da Lua: Crescente
Início LFC: 18h53
Final LFC: 21h41
Cor: Branco ☘ Incenso: Erva-cidreira
Antigo festival em honra das deusas do fogo no Tibete

27/11 segunda-feira
Signo da Lua: Gêmeos
Fase da Lua: Cheia às 6h17
Cor: Lilás ☘ Incenso: Rosas
Parvati Devi, festas em honra da deusa tríplice hindu

28/11 terça-feira
Signo da Lua: Gêmeos
Fase da Lua: Cheia

Início LFC: 22h04
Cor: Preto ⚜ Incenso: Sálvia
Festival em honra a Sofia, deusa grega do conhecimento

29/11 quarta-feira
Signo da Lua: Câncer às 3h55
Fase da Lua: Cheia
Final LFC: 3h55
Cor: Roxo ⚜ Incenso: Rosas

30/11 quinta-feira
Signo da Lua: Câncer
Fase da Lua: Cheia
Cor: Azul ⚜ Incenso: Canela

Dezembro de 2023

O nome deste mês deriva de Décima, uma das três Parcas (*Fates*, em inglês), que decidiam o curso da vida humana. O nome anglo-saxão desse mês era Aerra Geola, "o mês antes de Yule". O maior festival de dezembro é o solstício de inverno (no Hemisfério Norte), também chamado de Yule, Alban Arthuan e Meio do Verão. O festival de Natal é uma amálgama de muitas tradições religiosas, antigas e modernas, pagãs, zoroastras, judaicas, mitraicas e cristãs. A pedra do mês de dezembro é a turquesa.

1/12 sexta-feira
Signo da Lua: Leão às 13h02
Fase da Lua: Cheia
Início LFC: 10h08
Final LFC: 13h02
Cor: Vermelho ⚜ Incenso: Laranja
Festival de Posseidon, deus grego do mar e do renascimento.

2/12 sábado
Signo da Lua: Leão
Fase da Lua: Cheia
Cor: Verde ⚜ Incenso: Sândalo
Hari Kugo, dia das feiticeiras no Japão

3/12 domingo
Signo da Lua: Leão
Fase da Lua: Cheia
Início LFC: 23h12
Cor: Amarelo ⚜ Incenso: Alfazema
Dia da Bona Dea, a deusa da bondade

4/12 segunda-feira
Signo da Lua: Virgem à 0h51
Fase da Lua: Cheia
Final LFC: 0h51
Cor: Branco ⚜ Incenso: Rosas
Minerválias, festival em honra da deusa romana Minerva

5/12 terça-feira
Signo da Lua: Virgem
Fase da Lua: Minguante às 2h50
Cor: Cinza ⚜ Incenso: Erva-cidreira
Festival em honra do deus grego Posêidon
Festejos à deusa Lucina, senhora da Luz e dos Infantes na Itália

6/12 quarta-feira
Signo da Lua: Libra às 13h36
Fase da Lua: Minguante
Início LFC: 10h51
Final LFC: 13h36
Cor: Cor-de-rosa ⚜ Incenso: Cravo-da-índia

7/12 quinta-feira
Signo da Lua: Libra
Fase da Lua: Minguante
Cor: Preto ⚜ Incenso: Jasmim

8/12 sexta-feira
Signo da Lua: Libra
Fase da Lua: Minguante
Início LFC: 22h06
Cor: Marrom ⚜ Incenso: Laranja
Festival em honra da deusa egípcia Neit e dia sagrado de Astraea, deusa grega da justiça

9/12 sábado
Signo da Lua: Escorpião à 0h36
Fase da Lua: Minguante (Lua Negra)
Final LFC: 0h36
Cor: Azul-marinho ⚜ Incenso: Jasmim

10/12 domingo
Signo da Lua: Escorpião
Fase da Lua: Minguante (Lua Negra)
Cor: Azul ⚜ Incenso: Dama-da-noite
Festival romano de Lux Mundi, a Luz do Mundo e epíteto da deusa da Liberdade.

11/12 segunda-feira
Signo da Lua: Sagitário às 8h12
Fase da Lua: Minguante (Lua Negra)
Início LFC: 5h58
Final LFC: 8h12
Cor: Amarelo ⚜ Incenso: Manjericão

12/12 terça-feira
Signo da Lua: Sagitário
Fase da Lua: Nova às 20h33
Cor: Verde ⚜ Incenso: Canela

13/12 quarta-feira
Signo da Lua: Capricórnio às 12h33
Fase da Lua: Nova
Início LFC: 3h50
Final LFC: 12h33
Cor: Vermelho ⚜ Incenso: Cravo-da-índia
Dia de Santa Lúcia, ou Pequeno Yule, festival das luzes.

14/12 quinta-feira
Signo da Lua: Capricórnio
Fase da Lua: Nova
Cor: Azul ⚜ Incenso: Dama-da-noite

15/12 sexta-feira
Signo da Lua: Aquário às 14h57
Fase da Lua: Nova
Início LFC: 13h05
Final LFC: 14h57
Cor: Roxo ⚜ Incenso: Hortênsia

16/12 sábado
Signo da Lua: Aquário
Fase da Lua: Nova
Cor: Lilás ⚜ Incenso: Alfazema

17/12 domingo
Signo da Lua: Peixes às 16h59
Fase da Lua: Nova
Início LFC: 9h05
Final LFC: 16h59
Cor: Preto ⚜ Incenso: Cedro
Saturnais, festival em honra de Saturno

18/12 segunda-feira
Signo da Lua: Peixes
Fase da Lua: Nova
Cor: Marrom ☘ Incenso: Laranja

19/12 terça-feira
Signo da Lua: Áries às 19h48
Fase da Lua: Crescente às 15h40
Início LFC: 18h05
Final LFC: 19h48
Cor: Azul-marinho ☘ Incenso: Jasmim
Eponália, dia dedicado à deusa romana Epona, patrona dos cavalos

20/12 quarta-feira
Signo da Lua: Áries
Fase da Lua: Crescente
Cor: Laranja ☘ Incenso: Rosas
Opálias, festas romanas em honra de Ops, deusa da abundância

21/12 quinta-feira
Signo da Lua: Touro às 23h51
Fase da Lua: Crescente
Início LFC: 23h48
Final LFC: 23h51
Cor: Cor-de-rosa ☘ Incenso: Violetas
Ageronaias, festas romanas em honra de Angerona, deusa das cidades e dos campos
Yule – Solstício de Inverno (HN)
Litha – Solstício de Verão (HS)

22/12 sexta-feira
Signo da Lua: Touro
Fase da Lua: Crescente
O Sol entra em Capricórnio à 0h28
Início do Verão à 0h28
Cor: Cinza ☘ Incenso: Hortênsia
Laurentálias, festas romanas em honra de Aça Laurência, ama de Rômulo e Remo

23/12 sábado
Signo da Lua: Touro
Fase da Lua: Crescente
Cor: Branco ☘ Incenso: Dama-da-noite

24/12 domingo
Signo da Lua: Gêmeos às 5h16
Fase da Lua: Crescente
Início LFC: 3h41
Final LFC: 5h16
Cor: Amarelo ☘ Incenso: Rosas

25/12 segunda-feira
Signo da Lua: Gêmeos
Fase da Lua: Crescente
Cor: Vermelho ☘ Incenso: Manjericão
Natal

26/12 terça-feira
Signo da Lua: Câncer às 12h16
Fase da Lua: Cheia às 21h34
Início LFC: 4h57
Final LFC: 12h16
Cor: Verde ☘ Incenso: Laranja

27/12 quarta-feira
Signo da Lua: Câncer
Fase da Lua: Cheia
Cor: Azul ☘ Incenso: Dama-da-noite
Nascimento de Freia, deusa nórdica da fertilidade, da beleza e do amor

28/12 quinta-feira
Signo da Lua: Leão às 21h24
Fase da Lua: Cheia
Início LFC: 19h58
Final LFC: 21h24
Cor: Roxo ☘ Incenso: Hortênsia

29/12 sexta-feira
Signo da Lua: Leão
Fase da Lua: Cheia
Cor: Lilás ♣ Incenso: Alfazema

30/12 sábado
Signo da Lua: Leão
Fase da Lua: Cheia
Cor: Preto ♣ Incenso: Cedro

31/12 domingo
Signo da Lua: Virgem às 8h54
Fase da Lua: Cheia
Início LFC: 2h19
Final LFC: 8h54
Cor: Marrom ♣ Incenso: Violetas
Véspera de Ano Novo

Obs.: Fontes das datas festivas: *O Anuário da Grande Mãe*, de Mirella Faur; *Calendário Vida e Magia*, de Eddie Van Feu; *Dicionário da Mitologia Latina*, de Tassilo Orpheu Spalding, Editora Cultrix; *Dicionário da Mitologia Grega*, Ruth Guimarães, Editora Cultrix; *O Caminho da Deusa*, Patricia Monaghan, Editora Pensamento.

Coisas que É Bom Você Saber se Quer Praticar Bruxaria

O caminho e a prática da bruxaria mudam de pessoa para pessoa

Seja você quem for e independentemente do modo como passou a praticar a Arte, saiba que não precisa rotular a sua prática. Não se preocupe em descobrir como categorizá-la. O mais importante é descobrir qual o caminho certo para você, aquele que parece mais autêntico aos seus olhos. Se não se encaixa em nenhum tipo específico de Bruxaria, isso não significa que não seja uma bruxa ou bruxo "de verdade".

Como praticantes de Bruxaria, podemos trilhar caminhos muito diferentes. Não há maneira errada ou certa de se praticar a Arte, cada uma de nós a pratica do seu próprio jeito. Lembre-se, se você está procurando a melhor maneira de praticá-la, saiba que nós somos nossos melhores professores.

Você não precisa nascer numa família de bruxos para que a sua prática tenha poder

Muitas pessoas se enganam ao pensar que a prática de uma bruxa hereditária é mais válida do que a de alguém (como eu) que se tornou a primeira bruxa da família. Por mais fascinante que seja proceder de uma longa linhagem de bruxas, com um histórico de Bruxaria na família e todas as tradições e práticas associadas a ele, isso não é necessário para você se tornar bruxo.

Você pode praticar sozinho ou com uma comunidade de bruxos

Seja você um praticante solitário ou iniciado num coven, nos dois casos você é um bruxo autêntico. O tipo de bruxo que você se torna depende exclusivamente de você e do seu compromisso em estudar, aprender, praticar e honrar a Bruxaria.

Pode parecer mais difícil começar sua jornada pela Bruxaria sozinho. Há tanto a aprender e nem sempre é fácil encontrar informações precisas ou saber por onde começar. Mas, se quer mesmo seguir esse caminho, tenha a certeza de que aparecerá um livro ou uma pessoa para ajudá-lo a navegar pelas águas da magia e a encontrar o caminho certo para você.

Sua prática de magia não precisa custar uma pequena fortuna

Um ponto importante para todos os bruxos, não apenas para aqueles que estão no início da sua jornada, é saber que a prática de magia não precisa custar muito. A mídia social pode dar a impressão de que, para praticar Bruxaria, é preciso vestir roupas pretas, ter um caldeirão, um estoque completo de ervas, incensos, velas de todas as cores, vários tipos de cristal... e tudo isso pode custar caro. Mas ser bruxo não se resume ao tipo de instrumento que você usa ou às roupas que veste; a Bruxaria é muito mais do que isso. E o fato de ter essas coisas não significa que sua magia será mais forte ou seus feitiços serão mais bem-sucedidos. Se você gosta de colecionar e usar esses itens ou se prefere um kit de instrumentos mágicos mais minimalista, saiba que sua prática pode ser igualmente poderosa. É a força, o poder e o foco da sua intenção o que mais importam na prática da magia.

Divirta-se e faça a sua própria magia

É fácil se deixar levar por aquilo que eu chamo de "Bruxaria estética" nas redes sociais, mas a Bruxaria é algo natural e nem sempre é muito certinha e organizada. Dê a si mesma espaço para se divertir e encontrar seu próprio tipo de magia e seu estilo autêntico. Brinque, adapte e encontre o que funciona mais para você. Sinta-se à vontade para usar qualquer feitiço ou receita apenas como uma sugestão e personifique-os, acrescentando itens ou substituindo ingredientes para atender às suas necessidades e intenções.

E, lembre-se, um bruxo nunca para de aprender

À medida que aprender mais sobre a Arte, você também vai descobrir muito sobre si mesmo, à medida que começar a se conectar com seu próprio ser num nível mais profundo. A magia é uma energia que nutre você e o conecta com o mundo natural, e para ser Bruxo é preciso estar em sintonia e harmonia com a natureza e os elementos.

Assim como a natureza, nós também estamos em constante mudança e contínuo desenvolvimento. Dedique-se ao seu próprio crescimento e se comprometa de verdade a aprender ao longo de toda a sua vida. O aprendizado de um bruxo nunca acaba, independentemente de quanto tempo ele esteja praticando a Arte!

FAÇA A SUA PRÓPRIA MAGIA!

– Extraído e adaptado de *Bruxaria Verde*, Lindsay Squire, Ed. Pensamento.

A Bruxa que Não Luta se Queima

Uma história feminina sobre inquisição, feminismo e resistência

Bruxaria é muito mais do que fazer feitiços, poções e rituais. Nós, sacerdotisas da Deusa, somos as guardiãs da Terra, pois sabemos no íntimo da sabedoria ancestral da natureza, que nos ensina sobre opostos e complementariedades: verão/inverno, luz/sombra...

Uma bruxa não pode ser ingênua. Do contrário é "queimada", não mais na fogueira, mas como mulher, em sua reputação, sendo excluída ou difamada, coisas tão comuns numa sociedade machista, patriarcal e misógina como a nossa. Vivemos tempos em que ambientalistas são mortos e povos originários são torturados. E uma espiritualidade que se diz em conexão com plantas e animais, mas se cala diante dessas atrocidades, não serve para mais nada além de manter o *status quo*, pois silenciar é compactuar de alguma forma com o patriarcado que explora a nossa já dilapidada e doente Mãe Terra.

A Bruxaria abriga os indignados, os *outsiders*, os que não pertencem a nenhuma doutrina, os rebeldes, cujo espírito livre não suporta regras impostas. Nosso "nariz grande" de bruxa tem faro para desconfiar das histórias mal contadas, e o instinto da mulher selvagem nos ajuda a saber quando e onde podemos nos posicionar. Mas que não se engane quem pensa que espiritualidade é só namastê, paz e amor, muito pelo contrário. Grandes nomes espiritualistas "sujaram seus pés com o barro da vida", como Jesus, o homem subversivo que incomodou as autoridades de seu tempo; Sidarta Gautama, o Buda; Martin Luther King e Gandhi, que fizeram política é justiça social com resistência pacífica. Buscar a paz é um movimento ativo que gera um grande e importante trabalho espiritual. Esses grandes pacifistas estavam no centro dos maiores conflitos de suas épocas. Por isso ser pacífico jamais deve ser confundido com ser passivo.

Acredito numa espiritualidade engajada, que transforma o mundo ao redor, mas para isso primeiro precisamos entender esse mundo. Ampliar a nossa consciência. Nossa bíblia é o chão telúrico e pulsante em que pisamos, por isso precisamos fazer jus ao nosso chapéu alto, cônico e icônico, símbolo velado da consciência expandida e da abertura espiritual do chakra coronário. E não me refiro apenas à consciência espiritual que sente energias e envia reiki a distância, mas também à consciência social transformadora, que pode criar bases para um mundo mais igualitário para todas nós. Se nossa Deusa é a Terra, então também é sagrado o voto de amor e de luta em favor d'ela. O consumo consciente de seus recursos e até atos simples do cotidiano, como separar o lixo orgânico de materiais recicláveis, também fazem parte de uma espiritualidade consciente. É trazer o divino para perto de nós, para o dia a dia. Pois espiritualidade sem consciência social pode não passar de um mero passatempo.

Bruxaria Sem Feminismo Não Existe

Como bruxas, ainda temos uma responsabilidade histórica. Precisamos nos lembrar – para nunca mais a história se repetir – que, literalmente, fomos queimadas na Inquisição. Foram mais de 100 mil pessoas mortas pelo Tribunal do Santo Ofício da Igreja Católica, entre os séculos XII ao XVIII. Honrar nossas ancestrais é não deixar que se esqueça essa história de misoginia, feminicídio e preconceito, para defender com unhas e dentes um novo futuro para todas nós, para que finalmente possamos ser reconhecidas como pessoas, tal como os homens, que arrolam para si mesmos o conceito de humanidade, enquanto nos tratam como um subgênero inferior da raça humana.

Bruxaria e Feminismo caminham juntos!

Nesta era digital acelerada e vertiginosa de desinformação e *fake news*, frequentemente surgem comentários de pessoas se dizendo "feminina, sim; feminista, não". Performar feminilidade, ou seja, ter jeito afeminado, usar vestuário e adereços tradicionalmente femininos (saias, unhas compridas e esmaltadas, cabelos longos, maquiagem, sutiã etc) – nada disso faz alguém melhor ou pior. Defender a "feminilidade" para as mulheres é só mais uma forma de opressão: quer dizer que quem não se encaixa nesse padrão não pode ser considerada mulher? Bruxas masculinizadas ou que não seguem uma feminilidade padrão são menos bruxas? E as pessoas *trans*? Ser bruxa é ser livre. Vamos deixar cada pessoa ser do jeito que quiser ser?

Por trás do discurso vazio de uma espiritualidade moralista e opressora como a de muitas religiões tradicionais, vários estereótipos da "mulher ideal" e caixinhas de "tem que ser" muitas vezes caem em cima de nossas cabeças. A transfobia vem disfarçada com "sermões gratiluz", com uma espécie de espiritualidade falsa e carregada de preconceitos, afastando mulheres *trans*, que já são excluídas da sociedade, e agora, novamente, nos círculos femininos, pois aqui só entra "quem sangra", como muitas vezes já escutei. Isso tudo revela somente uma falta total de empatia e consciência social, que se mostra de todas as formas, menos espiritualizada.

Nesse sentido, hoje enxergo cada vez menos o Sagrado Feminino e mais o Sagrado Feminista, tal como foi proposto no livro *A Dança Cósmica das Feiticeiras*, um estudo clássico sobre rituais da Bruxaria, com um viés feminista, da celebrada bruxa, escritora e anarquista Starhawk. O feminismo é uma luta política para que mulheres cheguem numa equidade com homens em todas as esferas – inclusive a religiosa.

A historiadora Gerda Lerner, no livro *A Criação do Patriarcado*, nos conta que até as figuras de deusas femininas tiveram seu poder e espaço diminuídos conforme o patriarcado foi avançando historicamente, e que as várias Deusas Soberanas, aos poucos, foram cedendo seus lugares milenares a um único Deus masculino e monoteísta. Então, perceba a grande semente germinadora que carrega o estudo da Bruxaria: de também reverter, no quadro representativo religioso, um tipo único de pensamento sagrado padrão! Devemos por meio de nosso espaço sagrado, fazer dele também um espaço de luta, no qual precisamos reintroduzir na sociedade os aspectos femininos da pluralidade de opiniões e culturas (diversas Deusas) em vez de uma verdade única e excludente (um só Deus). Também da mulher se ver representada no altar/espaço sagrado como uma igual, e não como Maria, apenas mãe mortal que nem chega a ter *status* de Deusa. As representações simbólicas espiritualistas não são obras do acaso, mas mostram como uma sociedade pensa e o que ela valoriza.

Não é sobre "Deus(a) ter nos criado", mas sim sobre "nós termos criado Deus(a)". E portanto cabe o questionamento: que tipo de Deus(a) estamos criando/adorando? Quais valores que essa Divindade, sacerdotes ou mesmo religião defende em seu âmago, seja de forma religiosa/dogmática ou social e política? De qual panteão ela é? Qual sua cor/gênero? Por isso digo e sempre repito: uma bruxa não pode ser ingênua... Ela precisa saber que carrega dentro de si um imenso poder, o de cocriadora da realidade, uma sacerdotisa da Mãe Terra, e a partir disso, todas nós temos, cada uma com seu nível de consciência e entendimento, a responsabilidade de não pactuar com forças opressoras do feminino em todos níveis, sejam eles espirituais, religiosos, sagrados, profanos, sociais, cotidianos ou políticos.

Dessa forma, poderemos ter uma voz muito mais estrondosa, muito mais poderosa, e juntas tornar a Mãe Terra novamente em uma força nutriz em colaboração consciente com ela, e não lutando e espoliando, ainda que sem querer, contra ela, favorecendo de forma inconsciente o regime opressor do patriarcado, que ainda vive de forma latente dentro de todos nós.

– **Júlia Otero** é sacerdotisa da Deusa e guardiã do canal A Mulher Selvagem, com mais de 60 mil inscritas. Trabalha com a arte como portal para espiritualidade e saúde. Acredita que expansão de consciência também passa pela consciência social. É jornalista, artista plástica, bruxa, terapeuta do feminino e das artes.
YouTube: https://www.youtube.com/c/AMulherSelvagem
Site: http://amulherselvagem.com.br/
Instagram: @amulherselvagem

Magia com Fios de Cabelo

Um dos ingredientes mais usados na magia é o cabelo humano. Todos nós já ouvimos variações da mesma história: uma bruxa malvada arranca um cacho da cabeça de uma pessoa desavisada e, posteriormente, a vítima adoece, morre ou é vítima de algum outro destino horrível. O uso de cabelo na Bruxaria é muitas vezes retratado sob essa ótica maligna e nefasta. No entanto, nem sempre foi assim. Nos tempos vitorianos, era considerado romântico trocar cachos com um ente querido. Muitos grupos de pessoas ao redor do mundo, no passado e no presente, associavam o cabelo à espiritualidade e ao poder. Muitas vezes acredita-se que o cabelo abriga o espírito, a energia vital da pessoa ou uma conexão com o Divino. Algumas pessoas nunca cortam o cabelo durante a vida por motivos religiosos, enquanto outras, como os budistas monásticos, o raspam como parte de sua prática sagrada.

Durante a caça às bruxas, às vezes a acusada tinha a cabeça e o corpo raspados durante o interrogatório, para revelar as marcas que a bruxa poderia estar escondendo e, mais importante, para despojá-la do seu poder. Acreditava-se que as bruxas escondiam feitiços e magia nos cabelos e que afrouxar a trança ou o coque de uma bruxa liberaria uma energia sexual maligna e pecaminosa.

O cabelo é carregado de significado místico. Ele invoca sentimentos fortes, não importa a época, e vale a pena se perguntar por quê. Pode ser que pessoas de todas as convicções sintam instintivamente que seus cabelos são intensamente pessoais e, portanto, poderosos, contendo um pouco de sua alma ou pelo menos um pedaço íntimo de si mesmos.

O cabelo na Magia Simpática

Na bruxaria moderna, o cabelo pode ser usado em feitiços para cura, amor, proteção e, sim, também para maldições. Isso ocorre porque ele é um ingrediente perfeito para o que é chamado de magia simpática, termo usado para descrever o ato de ligar um objeto a uma pessoa e fazer magia para ela por meio do objeto. A magia simpática pode ser usada para quase qualquer objetivo mágico, tanto positivo quanto negativo. Um bom exemplo de magia simpática é o uso de uma boneca com as características físicas de um indivíduo. Atos simbólicos são realizados na boneca, o que fará com que experiências semelhantes aconteçam com a pessoa. Para criar um forte vínculo energético entre a boneca e o alvo do feitiço, algo pertencente à pessoa precisa ser adicionado ao recheio ou à superfície da boneca. O cabelo é o ingrediente perfeito, pois contém seu DNA, que é exclusivo dela. É uma parte do corpo físico que absorveu pensamentos, sentimentos e experiências, e também contém a energia da pessoa. Embora seja possível realizar magia simpática sem um pertence pessoal, algo tão íntimo quanto o cabelo ajuda a fortalecer a conexão entre a pessoa e o objeto.

O uso do cabelo em feitiços

Ao usar o cabelo em feitiços, alguns praticantes de magia aconselham que você sempre peça permissão à pessoa envolvida com antecedência. Como você pode usar o cabelo em feitiços para cura, prosperidade e outros aspectos positivos, pessoas que pensam como você podem estar dispostas a lhe dar alguns fios de cabelo. Claro, tenha em mente que elas podem achar o pedido muito estranho, para dizer o mínimo!

Aqui estão alguns feitiços básicos que usam cabelo humano de várias maneiras.

Garrafa da Bruxa para a Cura

Este é um feitiço para ajudar alguém que está doente ou sofrendo de alguma forma. Nesse caso, o cabelo será cercado por objetos com energia de cura, fazendo com que o dono do cabelo também seja envolvido por influências benéficas. Você vai precisar de: *fios de cabelo da pessoa que precisa de cura; garrafa ou frasco com tampa; 3 bolas de algodão; óleo de melaleuca; cristal de quartzo; lavanda, camomila e jasmim desidratados.*

Num local tranquilo, segure os fios de cabelo na mão e visualize a pessoa a quem eles pertencem. Imagine essa pessoa totalmente curada, feliz e saudável. Coloque o cabelo dentro da garrafa. O próximo passo é usar o óleo de melaleuca e as bolas de algodão. O óleo da melaleuca é conhecido pelas suas propriedades purificantes e, neste caso, purificará o corpo de doenças ou forças indesejadas. As bolas de algodão representam uma energia suave e gentil que envolverá a pessoa enquanto ela se cura. Coloque uma gota de óleo de melaleuca em cada bola de algodão e coloque-as na garrafa. Imagine a pessoa em questão cercada de suavidade, conforto e carinho enquanto se recupera.

Pegue o jasmim desidratado e inspire seu perfume. Imagine-o brilhando com uma aura azul-clara repousante. Coloque-o na garrafa. Repita isso com as outras ervas, até encher a garrafa. Coloque o cristal de quartzo por cima das ervas, para ampliar o poder dos outros ingredientes e, em seguida, feche bem a tampa. Agora o cabelo está cercado por suavidade, energia purificadora e ervas com vibrações de cura. Por ser magia simpática ou imitativa, a pessoa para quem você está fazendo o feitiço também estará cercada por essas forças benevolentes. Mantenha a garrafa de cura num local quente e ensolarado. Todos os dias, segure a garrafa e passe algum tempo visualizando a pessoa em perfeita saúde. Continue fazendo isso até que ela melhore.

Feitiço da Armadura Protetora

Neste feitiço, você envolverá uma mecha de cabelo com um selo protetor, protegendo a pessoa (ou a si mesmo) com um escudo energético. Você vai precisar de: *um pedaço de papelão; um papel preto quadrado, uma mecha de cabelo da pessoa que será protegida; azeite; uma vela preta; isqueiro.*

Ponha o papelão numa superfície de trabalho para evitar estragá-lo com a cera derretida. Coloque o papel preto quadrado sobre a superfície e o cabelo no centro do papel. Visualize a pessoa a quem ele pertence da forma mais clara possível. Dobre o papel ao redor do cabelo, fechando todos os cantos para que o cabelo não caia. Dobre da forma mais compacta possível. Posicione-o sobre o papelão. Coloque um fio de azeite nos dedos. Unte a vela esfregando o azeite nela, começando na parte inferior e passando até o meio da vela. Repita esse movimento do topo da vela até o meio. Enquanto faz isso, visualize a pessoa representada no feitiço cercada por uma esfera protetora de energia. Acenda a vela preta. Segure-a, deixando a cera pingar no papel dobrado. Enquanto faz isso, repita o encantamento: "Uma armadura protege (nome) de todo mal". Continue a pingar a cera em todos os lados do papel dobrado, girando-o conforme necessário, até que esteja completamente coberto por uma camada de cera preta endurecida. Apague a vela. Sempre que você sentir necessidade de energia protetora, acenda a vela e pingue mais cera no amuleto, engrossando a "armadura" ao redor da pessoa. Mantenha o amuleto num local seguro. Quando o feitiço de proteção não for mais necessário, descarte o amuleto ou enterre-o. Se a vela preta não tiver acabado, você pode guardá-la para futuros feitiços de proteção.

Feitiço para quebrar um vínculo

Este feitiço deve ser feito quando você deseja se afastar da esfera de influência de outra pessoa ou cortar laços energéticos com ela, por qualquer motivo. É melhor realizar este feitiço durante a Lua Negra (consulte o Calendário). Você vai precisar de: *fios de cabelo da pessoa em questão; fios do seu cabelo; uma tesoura; uma tigela; um prato à prova de fogo; um disco de carvão; isqueiro; folhas de louro desidratadas.*

Segure os seus fios de cabelo junto com os fios da outra pessoa. Visualize o vínculo entre vocês, que pode ser tóxico e insalubre. Sinta as emoções que ele evoca, enquanto olha para os cabelos entrelaçados. Você pode sentir tristeza, raiva, arrependimento ou outras coisas desagradáveis. Agora imagine que seus sentimentos estão formando uma massa de energia na frente do seu coração/tórax. Isso pode ter a aparência de um rabisco caótico, uma bolha turva ou outra coisa, dependendo do seu relacionamento com a pessoa e da natureza da discórdia. Visualize essa massa de energia passando para os cabelos. Coloque a tigela na sua frente. Usando a tesoura, corte os fios de cabelo em pedacinhos, certificando-se de que todos os fragmentos caiam na tigela. Se os cabelos forem muito curtos para isso, você pode cortar a tesoura no ar ao redor dos cabelos para cortar simbolicamente o que o prende. Acenda o carvão e coloque-o num prato à prova de fogo. Transfira cuidadosamente os pedacinhos de cabelo da tigela para o prato. Enquanto eles queimam, imagine os laços insalubres que os unem transformando-se em fumaça e flutuando para longe. Coloque uma folha de louro no carvão. Enquanto ela queima, deixe a fumaça purificar o ambiente. Passe a fumaça com a mão no rosto e no corpo, sentindo a energia purificadora do louro. Você pode queimar quantas folhas de louro quiser até sentir que o feitiço acabou. Você agora começou a se libertar do apego doentio. Depois de um feitiço desse tipo, pode haver mudanças em sua vida, como um rompimento, uma mudança de circunstâncias ou alguma outra reviravolta. Tenha em mente que numa situação verdadeiramente tóxica, esse tipo de mudança é para melhor.

– Extraído e adaptado de *The Magick of Hair*, de Kate Freuler, *Llewellyn's 2022 Magical Almanac.*

Amuleto do Gato Preto

Se você tem um animal de estimação, pode incorporar o pelo dele à sua magia. Os animais são muitas vezes uma fonte de conforto para nós e, portanto, nos transmitem uma sensação de lar, acolhimento, amor e segurança. Existem muitas maneiras criativas de incluir o pelo do seu animal de estimação em sua magia. Por exemplo, se é você quem faz suas próprias velas, coloque um único pelo na cera para adicionar boas vibrações extras. Se seu animal é o guardião da sua casa, você pode adicionar um pouco do pelo dele em amuletos para proteção.

O pelo de um animal trará a energia de sua espécie para qualquer feitiço. O pelo do gato pode ser usado em trabalhos para conferir independência e sagacidade; o pelo do cachorro, para magias para lealdade e amizade, e o pelo de coelho, para a abundância. Você pode adicionar um pouco de pelo a misturas de ervas, incenso, sachês e outros artesanatos mágicos.

Amuleto do Gato Preto da Bruxa

Os gatos pretos são universalmente associados à bruxaria e ao ocultismo. O gato preto é frequentemente retratado como o melhor amigo da Bruxa. Mesmo que você não tenha uma simpatia especial por gatos, pode fazer e usar este amuleto para invocar os traços arquetípicos do famoso gato preto: sorte, conexão com os espíritos, misticismo e, claro, todo poder da magia. Esse amuleto destina-se a aumentar seu sexto sentido e trazer à tona a sua bruxa interior.

VOCÊ VAI PRECISAR DE:

- ✓ um pequeno cristal olho-de-tigre, que caiba num frasquinho de vidro com rolha;
- ✓ uma pitada de catnip desidratado (*Nepeta cataria*, também conhecida por erva-de-gato);
- ✓ três pelos de um gato preto; cola; um cordão ou barbante longo o suficiente para passar em volta do pescoço.

Na noite de Lua Cheia, encontre um lugar tranquilo para fazer seu amuleto. É preferível que você consiga ver a Lua, mas se não puder, mentalize-a. Segure o olho-de-tigre na direção da Lua. Pense no olho de um gato brilhando no escuro, assim como a Lua, e diga:

> *Olho de gato, olho de gato,*
> *Lua brilhando na imensidão.*
> *Guie meu caminho dia e noite*
> *Como um gato preto na escuridão.*

Coloque a pedra na garrafa. Ela representa sua visão interior, que ajuda você a ver além da realidade física, aumentando seus poderes psíquicos. Acrescente o *catnip* no frasco. Essa erva atrai a maioria dos gatos, pois tem um cheiro tentador para eles. Diga:

> *Venha, aproxime-se, na noite assim.*
> *Espírito felino, venha até mim.*

Agora coloque os pelos de gato na garrafa e diga:

> *O poder do gato preto está aqui presente,*
> *Com segredos, sorte e muita astúcia.*
> *Agora vive dentro deste recipiente*
> *O espírito companheiro de uma bruxa.*

Coloque a rolha na garrafa e cole-a no lugar. Quando a cola estiver seca, amarre-o no cordão e use-o como amuleto durante rituais e feitiços ou em situações em que você precisar da energia extra do espírito do gato preto.

— Extraído e adaptado de *The Magick of Hair*, de Kate Freuler, *Llewellyn's 2022 Magical Almanac*.

A Arte de Manifestar seus Sonhos Usando a Magia e a Intuição

Você conhece a expressão "Cuidado com o que deseja"? A arte da manifestação é basicamente estimular a realização dos seus desejos por meio de uma ação ponderada, uma intenção vigorosa e a capacidade de imaginar o que você quer em pequenos detalhes. Essa especificidade é importante porque ela diminui o risco de conseguirmos algo que "se parece" com o que queremos, mas na verdade só vai nos deixar mais frustrados. Imagine conseguir o emprego dos seus sonhos e descobrir que, na realidade, ele é um pesadelo no qual você passa longas horas num escritório e não tem nenhum tempo para si mesmo; ou encontrar um centavo na calçada porque sua manifestação mencionava apenas a palavra "dinheiro", sem especificar a quantia.

A chave é sermos o mais claros possível sobre o que queremos, para que saibamos em que prestar a atenção quando surgir a oportunidade. É como estabelecer limites para o universo – você não quer apenas um trabalho, você quer um trabalho que seja gratificante, alegre e que lhe dê tempo para viver sua vida pessoal sem atropelos. Você não quer apenas dinheiro, você quer ser capaz de pagar o seu cartão de crédito sem sacrificar sua saúde e sem ter que viver de um modo triste ou dificultoso.

Quando se trata de manifestação, o feitiço mais simples é acender uma vela, definir suas intenções e escrever, numa folha de papel em branco, todos os detalhes sobre o que você espera manifestar na sua vida. Não tenha medo de se estender demais em minucias.

Diretrizes para ajudá-la na sua manifestação

- **Descreva o que você está disposto a fazer para atingir seus objetivos**, mencionando as pessoas e situações que podem estar envolvidas.

- **Esquematize o que você está procurando**, mencionando recursos, prazos e valores.

- **Concentre-se num objetivo por vez**. Quanto mais você se concentrar, mais poderosas serão suas intenções.

- **Especifique como você vai agir para atingir suas intenções.** Você não pode vender seu livro *best-seller* sem escrevê-lo primeiro.

- **Pense sobre o que você pode alcançar** – pense grande, enlouqueça, abrace seus sonhos, mas saiba que nenhuma manifestação pode influenciar as ações de outras pessoas ou trazer pessoas específicas para a sua vida.

Siga a sua intuição

Existe uma voz dentro de você que vem do seu coração e do seu subconsciente – uma mistura de magia e psicologia que chamamos de intuição. Muitas vezes reprimirmos e silenciamos a voz da nossa intuição porque não queremos perturbar o nosso dia a dia, saindo da rotina ou mudando nossos hábitos. É desse modo que acabamos caindo em padrões e rotinas contraproducentes, que fazem essa importante voz se calar. Por que a intuição é tão fundamental? Porque é por meio dela que nosso espírito fala conosco e nos orienta através da jornada da vida, nos conduzindo suavemente por caminhos que nos levam ao crescimento e à alegria.

Com que frequência você ouve os sussurros do seu coração? Eles ficam mais audíveis quando você abre espaço para a reflexão, o silêncio interior e a quietude. Quando esses sussurros nos guiam para longe das coisas que desejamos, isso pode nos causar tensão ou sentimentos conflitantes.

A diferença entre a intuição e o medo

Seu corpo fala de muitas maneiras.
O medo, a ansiedade e a intuição costumam se expressar causando sensações semelhantes, o que torna mais difícil diferenciar nossas reações emocionais das nossas percepções mais profundas. Então, como saber a diferença entre reação e intenção?

- ✼ Sua intuição é fruto de um estado calmo e consciente, no qual você é capaz de avaliar emocionalmente suas reações de maneira relativamente objetiva.

✂ A ansiedade e o medo, por outro lado, ativam seu sistema nervoso, desencadeando sua resposta de "luta ou fuga". Você se sente desequilibrado, com tendência a reagir emocionalmente e sem a sua capacidade plena de avaliar suas reações e respostas.

✂ Se você estiver procurando ouvir a sua intuição, saiba que a melhor maneira de entrar em contato com ela é se aquietando para que ela possa falar com você. Você está procurando pistas sobre o que fazer, mas precisa perceber quando está agitada demais para obter respostas claras.

✂ Se você precisa de um momento para refletir, práticas para aquietar os pensamentos e perceber melhor as sensações do seu corpo, como exercícios de respiração, a dança ou outros movimentos, ou simplesmente exercícios de alongamento, podem ajudá-lo a "reiniciar" seu sistema nervoso e desarmar sua resposta de "luta ou fuga".

Ritual para entrar em sintonia com a sua intuição

1 ACENDA UMA VELA

Este ritual funciona melhor se a vela puder ativar os seus sentidos. Procure uma vela perfumada que a faça se sentir bem, uma cor que traga tranquilidade e uma superfície que seja estável e segura.

2 FITE A CHAMA

Ao acender a vela, concentre-se na sua respiração e na sua intenção de entrar em sintonia com o seu eu interior. Concentre o olhar na chama e deixe-a preencher sua visão, ancorando sua atenção no momento presente.

3 RESPIRE FUNDO

Enquanto concentra o olhar na chama, comece a respirar num ritmo mais lento. Deixe o ar preencher seus pulmões e seu peito, inspirando e expirando totalmente. Aos poucos, vá desfocando o olhar e deixando o corpo relaxar.

4 SINTA O CALOR

Ao inspirar e expirar, sinta o calor da chama se expandindo, até aquecer seu corpo como o fogo. A chama deve ter um brilho reconfortante e quente como um abraço.

5 OUÇA

Depois de chegar a um estado confortável, quente e relaxado, deixe a mente aberta para tudo que vier à tona. Convide sua intuição a falar com você e a ouça com um coração generoso.

6 AGRADEÇA

Em voz alta ou mentalmente, agradeça à sua intuição por se comunicar com você. Quando estiver pronto para encerrar a sessão, imagine-se enviando o calor suavemente de volta para a vela e volte a focar o olhar. Depois de voltar a enxergar a vela com mais nitidez, apague a chama.

7 ANOTE AS SUAS REFLEXÕES

Se você achou este exercício útil, passe algum tempo anotando os seus pensamentos e sentimentos depois de concluir o ritual. Isso vai ajudá-lo a refletir sobre o que foi útil, o que foi desafiador e o que você pode voltar a praticar em sessões futuras.

O uso da criatividade como instrumento intuitivo

A criatividade é um instrumento poderoso para ajudar você a lidar com traumas e a se recuperar depois de um período de exaustão, além de estimular o seu crescimento pessoal. Também pode ser um canal para acessar a sua intuição. Quando ativa a sua criatividade e imaginação, você acalma o seu sistema nervoso e distrai a sua mente do que pode estar lhe causando estresse. Todas as pessoas, até mesmo os praticantes de magia, precisam de uma válvula de escape criativa. Essa é uma maneira maravilhosa de você explorar o seu subconsciente (e ninguém nunca terá que ver a sua criação, caso você esteja preocupado com isso). Assim como qualquer ritual, os melhores efeitos do trabalho só são vistos com a prática regular. Transforme sua criatividade num feitiço de cura. Defina intenções, acenda velas e defina o clima. Encontre uma prática que tenha a ver com você e não tenha medo de tentar muitas atividades criativas diferentes: pintura, desenho, escrita, artesanato, canto, dança, colagens, costura, tricô, crochê. Existem muitas atividades artísticas que envolvem sua atenção, sua imaginação e seu corpo, tudo ao mesmo tempo.

15 maneiras de mesclar criatividade e magia

- Desenhe sem pegar numa caneta.
- Dance livremente.
- Escreva um texto à mão.
- Cante no chuveiro.
- Pinte as unhas.
- Comece um diário.
- Desenhe com os olhos vendados.
- Escreva uma carta para você mesmo.
- Recorte fotos e imagens de revistas e faça uma colagem.
- Faça um painel com afirmações e imagens de tudo que deseja conquistar.
- Faça uma lista dos seus maiores sonhos.
- Crie um ritual enquanto trabalha.
- Comece uma prática criativa por pura diversão.
- Tome um banho ritual.
- Tire uma carta de tarô.

– Extraído e adaptado de *O Guia Completo de Autocuidado para Bruxas*, Theodosia Corinth, Ed. Pensamento.

Bolhas de Sabão Mágicas

Só o pensamento de soprar bolhas já nos transporta de volta aos dias felizes da nossa infância, quando não precisávamos de nada mais a não ser água e sabão, uma haste de fazer bolhas e a luz do sol para nos divertir. A opalescência colorida da superfície das bolhas é tão deslumbrante que nos sentimos em paz só ao vê-las flutuar no ar. Por si só, as bolhas são uma ótima estratégia para levantar o ânimo. É quase impossível se sentir negativo perto delas. Mas é claro que nós, praticantes de Bruxaria, vamos querer fazer bolhas mágicas, que transformem a nossa energia para realizarmos os nossos desejos.

Compre um frasco de bolhas numa cor que corresponda à energia que você deseja cultivar.

Por exemplo, um frasco azul pode trazer serenidade e um frasco roxo seria perfeito para a espiritualidade. Um frasco amarelo pode trazer alegria e um frasco vermelho evoca o amor. Remova o rótulo e limpe a parte externa do frasco com água e sabão. Deixe secar ao ar livre. Em seguida, coloque o frasco ao luar ou à luz do sol, o que melhor corresponder à sua intenção. A luz da Lua Cheia evoca uma energia suave e emocional, e a luz do Sol instila nas bolhas uma energia mais poderosa e vibrante. À medida que o frasco se banha na luz, peça a bênção do Sol ou da Lua para seus propósitos: por exemplo, "Invoco a energia da Lua para abençoar essas bolhas com sabedoria e magia".

Quando estiver pronto para encantar as bolhas, coloque um cristal que não seja solúvel na água do frasco. Alguns dos melhores cristais para isso são o quartzo transparente, o quartzo cor-de-rosa, o citrino e a ametista. Diga o que você deseja que ele faça. Por exemplo, "Com esta pedra de ametista, invoco a energia da serenidade".

Coloque as mãos ao redor da garrafa e repita sua intenção mais uma vez: "Invoco a energia da serenidade para abençoar estas bolhas". Crie a energia da serenidade em sua mente e no corpo e, em seguida, envie a serenidade através das mãos para dentro do frasco. Quando a transferência de energia estiver completa, tampe o frasco e escreva o seu propósito nele com uma caneta permanente. Mantenha-o em seu santuário para uso posterior.

Da próxima vez que você sentir a emoção oposta das bolhas mágicas transformadoras, leve seu frasco de bolhas para fora e abra-o. Mergulhe a haste na solução de água e sabão, segure-a diante de você, respire fundo e diga: "Eu libero agora esta emoção negativa que estou sentindo. Que ela flutue para longe com estas bolhas" ou "Eu libero quaisquer bloqueios que eu tenha para sentir serenidade".

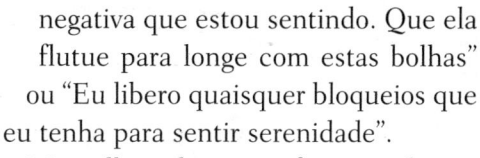

Mergulhe a haste no frasco e depois sopre-a. Você terá que assoprar na velocidade certa; faça isso rápido demais e as bolhas vão estourar. Sopre muito devagar e nada vai sair. Encontre a velocidade certa para criar as bolhas.

Quando soprar as bolhas, veja-as como a energia que você deseja liberar presa dentro da bolha de sabão. Observe as bolhas flutuando para longe de você e, ao mesmo tempo, sinta a emoção deixá-la. Repita quantas vezes precisar para liberar a emoção.

— Extraído e adaptado de *Air Magic Hacks*, de Astrea Taylor, *Llewellyn's 2022 Magical Almanac*.

LIMPEZA DA CASA

Queime erva fumária na casa para exorcizar energias indesejáveis, percorrendo os cômodos sempre no sentido horário. Evoque a proteção de Anúbis, uma divindade egípcia dos mundos subterrâneos, da deusa grega Hécate ou da deusa celta Cerridwen. Acenda uma vela branca e queime incenso de olíbano, enquanto anda pela casa abençoando todas as portas, janelas e aberturas.

Reversões Mágicas como Desfazer Feitiços

Você já lançou um feitiço e depois se arrependeu do resultado? Ou, ao contrário, você lançou um feitiço e ficou muito feliz com o resultado, mas em pouco tempo viu que ele deixou de surtir efeito e tudo voltou a ser como antes? Essas duas coisas aconteceram comigo, e minhas experiências em descobrir por que um feitiço se desfaz sozinho realmente me ajudaram a entender o processo geral de reversão mágica.

A reversão mágica pode ser muito útil nos casos em que queremos conscientemente desfazer nossa própria magia, quebrando o poder de um feitiço formal, para que o fluxo anterior de acontecimentos possa ser retomado. Para começar, é preciso apresentar uma breve visão geral dos aspectos essenciais da conjuração. Embora as técnicas e procedimentos variem muito de uma prática mágica para outra, alguns elementos-chave e semelhanças estão geralmente presente em todos os feitiços formais.

A estrutura dos feitiços

Muitos tipos de feitiço tem uma estrutura ritual básica, que pode ser seguida de forma rígida ou servir apenas com uma simples diretriz. De qualquer maneira, manter esses pontos em mente é um bom começo para entender não apenas como criar e lançar feitiços, mas também como revertê-los, se necessário. Essas etapas incluem: purificação do eu; montagem de um altar ou ponto focal; purificação e preparação da área ritual; definição da atmosfera adequada; evocação de guias, guardiões, ajudantes ou divindades; lançamento do feitiço em si; agradecimentos e reconhecimento por quaisquer aliados espirituais que foram evocados; conclusão do ritual; liberação do espaço; aterramento; e "agir de acordo". Cada uma dessas facetas do ritual é secundária com relação à criação da mensagem mágica em si e, no meu trabalho, isso é feito por meio da interação de três aspectos importantes: pensamento, sentimento e força de vontade. A imagem mental do resultado final é claramente mentalizada e profundamente infundida com forte emoção. A chave aqui é saber que a emoção usada é o modo como você quer se sentir quando o objetivo for alcançado, e nenhum outro sentimento pode ser adicionado a isso. Essa poderosa combinação de pensamento e emoção é então liberada, através da pura força de vontade, na direção de um ponto focal como uma vela, ou enviado diretamente ao alvo do trabalho. Cada uma dessas etapas desempenha um papel importante no aprimoramento da mensagem que está sendo transmitida no feitiço real. Se todos os componentes foram devidamente executados, uma mensagem clara e intensa pode ser enviada. Por outro lado, se áreas vitais forem negligenciadas, pode haver mensagens confusas, bloqueios ou reversões não intencionais.

Reversões súbitas

Quanto aos feitiços bem-sucedidos que perdem o efeito de repente, eu posso dizer que passei por alguns acontecimentos muito específicos no passado que foram desanimadores, para dizer o mínimo. Por exemplo, muitos anos atrás realizei um banimento para afastar uma pessoa prejudicial não apenas na minha vida, mas também na vida de várias pessoas queridas. O feitiço funcionou no início: a pessoa prejudicial de repente conseguiu um novo emprego e deixou a cidade. Ela iniciou vida nova, nós voltamos a ter paz e tudo ficou bem por um tempo. Na minha prática pessoal, sigo uma diretriz ética que inclui trabalhos como banimentos e amarrações, embora o foco geral seja para garantir que esses fins sejam alcançados sem danos e que não existe nenhuma alternativa disponível.

Na época eu fiquei incrivelmente aliviado ao ver que o banimento que eu havia realizado tinha sido eficaz, mas mal sabia eu o que estava prestes a acontecer. Alguns meses depois, a pessoa voltou de repente – não apenas para a minha cidade, para o seu antigo emprego, e passamos a vê-la quase todos os dias. Confesso que fiquei arrasado! Não só por causa do grande golpe no meu ego mágico, mas, o mais importante, porque a pessoa estava de volta e com o seu mesmo comportamento reprovável. Era como se ela nunca tivesse ido embora.

Tentei ser filosófico ao refletir sobre essa reviravolta e me perguntei que "bem maior" ou "lição" espiritual eu deveria aprender com essas experiências, mas no final me senti derrotado e, sinceramente, também me senti abandonado pelo Espírito, pois esse trabalho em particular era muito importante para a qualidade da minha vida na época. Felizmente, consegui por fim me convencer a sair do meu ego e lançar um olhar mais amplo sobre a natureza da minha prática e o que estava faltando no meu trabalho. Algumas das perguntas que eu tive que fazer a mim mesmo incluíam descobrir minhas próprias motivações e objetivos para o trabalho e se eu realmente tinha feito um esforço verdadeiro para executar completa e adequadamente cada uma das etapas do processo de criar e liberar uma intenção mágica precisa. Nesse exame minucioso, eu descobri que tinha conduzido corretamente o trabalho mágico e alimentado a mentalidade correta, motivações fortes e uma visão clara do resultado em mente. Embora isso fosse reconfortante, eu também descobri que havia me esquecido de dois fatores importantíssimos que ajudam a direcionar e controlar o poder de um feitiço.

Como fazer a ligação mágica e a selagem

Quando digo "fazer a ligação mágica", estou me referindo ao vínculo que se precisa fazer com o alvo da magia, para que o conjurador tenha uma conexão completa com ele. Essas ligações mágicas geralmente requerem mechas de cabelo, recortes de unhas ou peças de roupas da pessoa, embora as opções mais modernas incluam fotografias, lenços, máscaras descartadas ou anotações escritas à mão. Cada um desses itens carrega graus variados da energia de uma pessoa e pode servir como um elo mágico, conectando a energia de um feitiço diretamente ao seu alvo. O uso de uma ligação mágica melhora muito a força e a eficácia de qualquer magia dirigida a uma pessoa ou animal, e é um grande benefício em casos de cura ou banimento, quando o contato direto com o alvo não é aconselhado ou possível.

O selamento do feitiço, por outro lado, geralmente consiste numa ação, gesto ou declaração formal no final de um trabalho mágico, para enviar o feitiço e cortar a conexão entre ele e quem o lança. Se não conseguirmos quebrar essa conexão, nossa ligação com o feitiço irá continuamente drenar a energia da magia e confundir sua mensagem. O mesmo acontece se continuarmos a insistir no feitiço depois de lançá-lo. Pense no feitiço como um bolo: se abrirmos a porta do forno para verificar se ele está assado a cada poucos minutos, dissipamos o calor do forno e o bolo não vai assar corretamente ou vai demorar muito mais para ficar pronto. É melhor lançar o feitiço, selá-lo para quebrar nossa conexão e, em seguida, deixá-lo ir. Esse é um dos benefícios do diário mágico. Se anotarmos as datas e detalhes dos nossos feitiços, podemos tirá-los da nossa mente, sabendo que temos todas as informações importantes escritas para referência e confirmação posterior. Por experiência própria, sei que isso faz com que seja muito mais fácil deixá-lo ir e dar tempo à energia para fazer seu trabalho.

Algumas técnicas fáceis e eficazes para selar um feitiço incluem desenhar um pentagrama no ar com um instrumento como o athame ou a varinha, bater palmas para interromper o fluxo de energia, dar uma batidinha no altar com a varinha ou tocar um sino.

Outro método de selagem é usar um símbolo específico que corresponda ao seu objetivo mágico. Símbolos desse tipo são frequentemente chamados de "sigilos" ou "selos mágicos", e eles são perfeitos para o duplo propósito de ligar a energia do feitiço ao seu propósito e selá-lo para manter seu poder intacto. Tal como acontece com um pentagrama, o "sigilo" ou "selo" pode ser desenhado energeticamente no ar com um athame ou varinha, como meio de realizar o trabalho. Pode-se também desenhar, pintar ou inscrever em algo físico, como um amuleto, para manter seu poder intacto. Com um pouco de pesquisa, é sempre possível encontrar um símbolo apropriado, um sigilo ou um selo que corresponda ao seu objetivo mágico, e é sempre possível desenhar o seu próprio, seja com a orientação de livros ou como criação espontânea.

Com inverter intencionalmente um feitiço

O uso das técnicas de ligação e selamento melhorou exponencialmente a minha taxa de sucesso mágico e eliminou da minha vida o problema da reversão não intencional. O conhecimento sobre como reverter a magia de propósito é, no entanto, muito útil. O ideal é que toda magia seja bem planejada, bem executada e bem-intencionada, para que não precise ser revertida, mas como erros ou mudanças imprevistas são possíveis, é bom saber técnicas de reversão apenas por precaução.

Agora, quando se trata de reverter um feitiço intencionalmente, é importante lembrar que, quanto mais eficaz for sua execução, mais complicado será desfazê-lo. A primeira coisa a fazer é reunir o maior número possível de componentes da magia original, especialmente a ligação que foi usada; e aqueles que não estiverem mais disponíveis deverão ser substituídos.

Uma técnica útil para se usar é a configuração de altar espelhada, na qual cada um dos componentes é colocado no local oposto de onde estava no feitiço original. Em outras palavras, a vela que estava à esquerda agora é colocada à direita e vice-versa. Qualquer que seja a configuração do altar no momento do lançamento do feitiço, ela deve ser simplesmente invertida se você quiser desfazê-lo. Em alguns casos, para um resultado mais eficaz, convém refazer todo o feitiço de trás para a frente, incluindo as palavras do encantamento, se desejar.

Alguns passos são muito individualizados e dependem do trabalho específico, mas apresento a seguir alguns exemplos que podem ser úteis.

Uma chave importante em qualquer reversão é desfazer a ligação mágica com o alvo da magia. Retire dela todo poder e intenção. Se a ligação estava num saquinho ou num frasco, ele deve ser aberto e todas as suas partes, lavadas ou purificadas. Fotografias, mechas de cabelo e outros vínculos com o alvo podem ser imersos em sal ou água salgada, para desfazer sua carga mágica. Enquanto isso, as velas podem ser acesas e as palavras originais do feitiço podem ser ditas ao contrário; porém, descobri que uma necessidade claramente declarada, juntamente com um desejo sincero de que o feitiço seja revertido exercem um excelente efeito quando se quer desfazer um trabalho. Uma boa sugestão de palavras para você usar num feitiço de reversão pode ser algo do tipo:

Um feitiço foi lançado com intenção verdadeira, mas a maré mudou e agora ele deve ser desfeito. Quebre o feitiço, inverta seu curso – eu detenho essa magia em sua fonte. O poder está desfeito, acabaram-se os vínculos, como eu farei agora, que assim seja!

Claro, as palavras podem ser adaptadas à situação exata que você está vivendo e, se fizer isso, elas serão ainda mais eficazes. Lembre-se de focar não apenas na intenção mental, mas também na forte emoção de como você quer se sentir quando seu objetivo for alcançado; isso vale para qualquer magia, seja para lançar um feitiço ou para revertê-lo. Ter sempre em mente a importância de pensar, sentir, querer, ligar e selar é uma maneira segura de aumentar seu sucesso na sua jornada mágica.

– Extraído e adaptado de *The Spell Undone: A Look at Magical Reversals*, de Michael Furie, *Llewellyn's 2022 Magical Almanac*.

Como Ter um Fogo Mágico na Sua Casa

Quando criança, eu fiquei empolgada quando nos mudamos para uma casa que tinha lareira. Não que precisássemos de uma. Hoje temos outros meios de aquecer nossa casa e fazer nossa comida. Mas havia algo mágico naquele nicho na parede. Mais tarde, quando me mudei para o meu primeiro apartamento, lamentei a perda daquele espaço mágico. Nos meus primeiros anos como bruxa, ele era o lugar onde eu queimava meu tronco de Yule, onde eu queimava papéis gravados com sigilos mágicos para feitiços e um lugar onde fazia oferendas. Senti que tinha perdido um instrumento vital na minha prática mágica. Não era como um caldeirão ou uma varinha, que eu poderia simplesmente levar comigo para outro lugar. Ou era? A maioria das casas modernas não tem lareira e, quando tem, geralmente são mais para fins decorativos do que práticos. Felizmente, você não precisa ter uma lareira de verdade para praticar a magia do fogo.

O que é uma lareira?

Em poucas palavras, a lareira é um lugar para abrigar o fogo, geralmente dentro de uma residência ou prédio público. É difícil para nós, dos tempos modernos, entender como é revolucionária a ideia de uma lareira. Em termos práticos e mundanos, ela era o centro de atividade doméstica. Era onde se cozinhavam os alimentos e a família se reunia para conversar e contar histórias, ao pé do fogo. Seu calor era a diferença entre sobreviver ao frio intenso do inverno e correr o risco de congelamento. A lareira oferecia segurança, proteção, sustento e proximidade com amigos e familiares. Era o tipo de fogo que era contido à noite, mas nunca totalmente apagado, não importava a época do ano. Quando era extinto, geralmente era para voltar a ser aceso ritualisticamente, a partir de um fogo sagrado, para que sua bênção e poder pudessem ser levados para dentro do lar. Não é difícil ver como algo tão vital para a vida cotidiana era visto como algo mágico.

Enquanto a lareira era o centro da casa, na Grécia essa ideia foi expandida dentro da comunidade com o *prytaneion* e o *bouleuterion*, centros simbólicos comunitários onde eram realizadas as funções cívicas. Essas lareiras públicas eram consagradas à deusa Héstia, cujo nome significa literalmente "lareira".

Na Rússia, acreditava-se que todas as casas tinham espíritos domésticos chamados *domovoi*, que vivia nas cinzas da lareira. Quando uma família se mudava, eles pegavam as cinzas de sua lareira e as levavam para a nova casa, para que seus espíritos domésticos se mudassem com eles. Da mesma forma, na Irlanda, acreditava-se que o carvão da lareira da antiga casa devia ser usado para acender o fogo no novo lar, para que a sorte da casa não ficasse para trás. Essa conexão entre o lar e a sorte, trazida dos espíritos amistosos que habitavam a antiga residência, também pode ser vista nos itens que costumam ser pendurados na lareira, por tradição. Colocar ferraduras acima da lareira é um costume observado em várias culturas. Práticas populares na cidade de Londres da década de 1900 incluíam a colocação de vários itens e brinquedos infantis num manto da sorte. Se já pendurou meias na lareira, esperando receber presentes no Natal, você também já seguiu esse costume popular.

Embora a lareira fosse um lugar para atrair a sorte e a proteção da casa, também era vista como um ponto de vulnerabilidade. Muitos contos populares apresentam seres malévolos, fadas, demônios e fantasmas entrando numa casa pela lareira. Ainda hoje seguimos a tradição de ver espíritos, assim como Papai Noel (embora ele não seja maligno), entrando na casa pela chaminé. Na Grã-Bretanha, amuletos protetores chamados "marcas de bruxa" eram esculpidos perto da lareira para evitar que espíritos malignos entrassem na casa ou pela chaminé. Essas "marcas de bruxa" geralmente tinham a forma de círculos ou rosetas solares. Durante uma reforma, um grande esconderijo de sapatos foi encontrado enterrado sob uma lareira em Cwm GelliLago, País de Gales. Acredita-se que eles foram colocados ali para servir de amuleto para proteger a casa e impedir que espíritos malignos entrassem pela lareira.

O que tudo isso significa para nós, praticantes modernos? Nós, evidentemente, temos uma rica tradição de magia do fogo doméstico. O que falta à maioria de nós é um lar verdadeiro. Enquanto eu morava num lugar que não tinha lareira, não sentia que isso significava que eu tinha que desistir de uma prática significativa. Essa também foi uma época da minha vida em que não tinha muito dinheiro para gastar com instrumentos. Assim, encontrei formas de trabalhar sem instrumentos ou modificar coisas que eu já tinha à mão. Eu pensava: se eu posso fazer isso com meus outros instrumentos mágicos, por que não com minha magia do fogo? A questão é que você obviamente não precisa de uma lareira para praticar a magia do fogo. Os qualificadores básicos de uma lareira são o fato de ela ser o centro simbólico ou literal de uma casa ou espaço público, e de existir algum tipo de fogo sagrado naquele espaço. É isso. Quando a enquadramos nessa perspectiva, o fogo doméstico pode ser transferido para muitos lugares e honrado de muitas maneiras.

Encontre o centro espiritual da sua casa

Para começar nossa magia moderna do lar, primeiro temos que identificar o centro da casa. Ele será diferente em cada casa. Pode ser o centro literal da residência ou o centro simbólico. Uma lareira moderna, embora seja um símbolo poderoso, de muitas maneiras já deixou de ser o centro da casa. Que cômodo da casa você mais usa? Onde as pessoas se reúnem e se sentem mais à vontade em sua casa? Algumas pessoas provavelmente poderiam considerar a sala de TV como uma lareira moderna, desde que nos reunimos em torno dela, e muitos de nós passamos uma boa parte do tempo diante do aparelho.

Assim como a antiga lareira, a TV também reúne pessoas em torno dela para contar histórias. Do mesmo modo, de um ponto de vista moderno, se você gosta de cozinhar, a cozinha pode ser considerada o centro espiritual da casa e servir como seu fogo doméstico. Ou talvez seja uma sala que você use como ateliê, acendendo os fogos criativos da mente.

A conexão com os espíritos do lar

Como fui obrigada a ser criativa sobre o que eu considerava uma lareira, isso também me forçou a me tornar mais consciente do espírito do lugar onde eu morava. Casas novas e antigas e até mesmo apartamentos têm um espírito que ali habita. Travar um relacionamento com este espírito pode ser valioso para a magia do seu lar e para a estabilidade e proteção do seu espaço vital. Quando eu morava num lugar que já tinha uma lareira, fazia oferendas ao espírito da casa, mas não construí conexões profundas com o espírito dos lugares em que morei depois disso. Principalmente porque a lareira já estava lá. Quando eu tive que construir uma lareira simbólica, descobri que tive que me empenhar mais para desenvolver esse relacionamento porque estava essencialmente começando do zero. Eu precisei que o meu instrumento mágico, a lareira real, fosse tirado de mim para que eu realmente me aprofundasse no que aquele instrumento realmente representava e significava. No final, essa se tornou uma das minhas práticas mais significativas e poderosas. Mesmo que você tenha uma lareira, reservar um tempo para se conectar com o seu espírito doméstico é essencial para sua prática do fogo doméstico se desenvolver.

Sua lareira também pode ser um lugar que você torne sagrado para uma divindade específica do fogo. Se você acha difícil se conectar com o espírito da casa, as divindades do fogo doméstico também podem atuar como intermediárias e ajudar você a estabelecer essas conexões. Onde moro atualmente há um altar para Brigid ao lado da lareira, e o espírito da casa e Brigid são reverenciados como parte de minhas práticas de magia do fogo.

Símbolos e itens para sua lareira

Depois de identificar o "centro" da sua casa, o próximo passo é criar um altar, que pode ser algo tão simples quanto uma lampadazinha ou uma vela num recipiente à prova de fogo. Ao lado da sua chama literal ou simbólica, deve haver uma pequena tigela para fazer oferendas ou para queimar alguns itens. A partir daí você pode adicionar qualquer objeto do seu agrado. Se você planeja honrar os espíritos que cuidam da sua casa, você pode ter itens que representem esses seres ou sejam atraentes para eles.

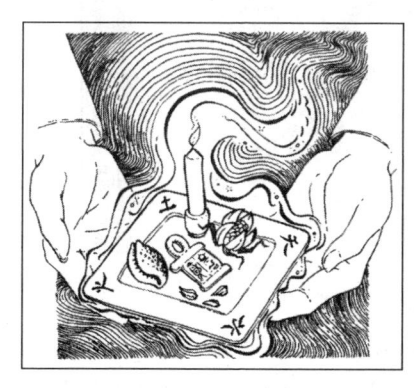

Você também deve incluir símbolos de proteção para simbolizar a sua casa, para que aqueles que vivem dentro dela possam ser protegidos. Podem ser objetos reais ou um símbolo que você desenhe. Eles podem ser algo ligado às tradições da magia do fogo, como uma ferradura, ou pode ser algo que tenha um significado pessoal para você. Rosetas solares e cruzes de braços iguais funcionam bem. Você pode usar também uma pedra, como a turmalina negra, que tem a qualidade de neutralizar a energia negativa. Experimente dois pregos amarrados com linha vermelha para criar uma cruz de braços iguais.

Meus próprios altares do fogo ao longo dos anos têm sido lugares para fazer oferendas regulares e celebrar datas festivas ligadas ao fogo (consulte o Calendário). Durante esses tempos, eu limpo meu altar e adiciono itens para definir certas intenções para esse ciclo específico do ano. Quando me mudei para meu primeiro apartamento, meu fogo doméstico era uma vela elétrica em uma prateleira ao lado da TV. Ao lado da vela, eu tinha um desenho de uma roseta solar, imbuída de magia para proteger a casa, bem como uma nota de 1 dólar dobrada, com um sigilo desenhado nela para atrair sorte para a casa, colocado sob a vela.

Era algo simples e provavelmente parecia decorativo para quem o via, mas era uma forte peça de magia pessoal, que servia para proteger a casa e a mim também. Quanto mais eu centrava meus pensamentos nesse altar, como se ele fosse o centro espiritual da minha casa, mais poderoso e mágico se tornava o trabalho que eu fiz ali. Mais tarde, eu me mudei para uma casa com uma lareira de verdade, mas o modo como eu trabalhava minha magia do fogo na verdade não mudou. Por isso eu digo que a sua lareira pode ser literal ou simbólica. O mais importante é lembrar de ser criativo e fazer magia do seu jeito.

Bênção para o lar ao estilo moderno

Você vai precisar de: uma vela, seu incenso favorito, uma oferenda, uma vasilha pequena.

Esta bênção é apenas um ponto de partida e pode ser usada como está ou modificada, para se adequar ao tipo de fogo doméstico com a qual você trabalhará.

Coloque seus itens em sua "lareira" e acenda a vela. Acenda o incenso, sopre a fumaça sobre a área e visualize qualquer energia indesejada se dispersando. Reserve um momento para abrir sua consciência e ver toda a sua casa a partir de uma visão panorâmica. Na sua mente, rastreie suas fronteiras e veja todos os cômodos da casa. Toda casa tem uma espécie de espírito próprio, um espírito daquele lugar. Tente se conectar com o espírito do lugar, enviando suas intenções para proteger as fronteiras deste lugar e aqueles que vivem dentro dele. Você também pode optar por ver a riqueza e o amor fluindo para o espaço.

> *Eu acendo a chama do meu fogo doméstico.*
> *Estou no centro sagrado de minha casa e do meu coração.*
> *Que esta chama seja uma chama de proteção,*
> *Uma chama de amor e calor,*
> *Uma chama de (o que você deseja atrair para o seu espaço).*
> *Deixo esta oferenda para (divindade do lar, espíritos do lar etc.), que assiste este espaço.*
> *Traga sua bênção e proteção gentil para este lugar.*

Deixe sua oferenda na tigela. Mantenha a vela acesa mais um pouco antes de apagá-la. Não deixe de visitar seu fogo doméstico regularmente, renovando suas intenções e fazendo oferendas.

– Extraído e adaptado de *Creating and Tending a Magical Hearth*, de Stephanie Woodfield, *Llewellyn's 2022 Magical Almanac*.

Conjuras Para Manter a Sorte e a Prosperidade Dentro de Casa

Prosperidade, sorte, abundância, sucesso na carreira ou na vida... Você pode ter tudo que almeja.

Desde cedo temos de enfrentar desafios na vida, que se apresentam desde o momento em que nascemos. Algumas pessoas aparentemente nascem com todos os astros ao seu favor, outras precisam batalhar um pouco mais para ter o que desejam – e quando falo batalhar um pouco mais, não falo apenas de se esforçar mais, mas de recorrer a ferramentas que as ajudem a conseguir o que querem. E uma dessas ferramentas é – a magia!

Sou praticante de Hoodoo, moro em Porto Velho, Rondônia, às margens do rio Madeira, e nasci bruxo, benzedeiro e raizeiro. Tenho uma loja de artigos mágicos e espirituais, a Casa de Hoodoo, onde preparo banhos, óleos, poções e lavagens de chão com ervas, e todos os dias clientes me procuram em busca de soluções para seus percalços diários.

Eles me contam suas dificuldades, que às vezes os afligem desde a infância, ou problemas recentes com os quais não sabem lidar. Meus clientes vêm até mim quando estão sofrendo com a perda de um ente querido ou com uma infidelidade, às vezes vem para tentar recuperar um amor perdido. Mas eu arrisco dizer que a maioria me procura por questões amorosas. E há algo em comum entre essas pessoas: além dos problemas amorosos, quase todas estão passando também por dificuldades financeiras. Percebi, assim que, quando as pessoas perdem um amor, parece que a sorte também as abandona, como se, de alguma forma, o amor e a sorte andassem sempre de mãos dadas.

Por isso, vou ensinar aqui algumas soluções para impedir que a sorte fuja pelo buraco da fechadura, a fartura continue se sentando à sua mesa e a sorte volte a fazer parte da sua vida, trazendo com ela muito amor, alegria, sucesso e tudo mais que você deseja.

Para afastar o mal e convidar a sorte a morar na sua casa

Este antigo encantamento assírio, publicado pela primeira vez em 1906 no livro *The Surpu Series*, de H. Zimmern, oferece proteção para a casa e seus moradores, contra todo tipo de coisa: viva ou não viva.

Conjura de Proteção do Ar para a Casa

Caso você tenha uma varinha, toque a porta da frente da sua casa com ela (caso não tenha, apenas levante as mãos em direção a porta), imaginando uma grande barreira de ar – ventania, trovões, tornados e furações – se formando ao redor da casa e protegendo-a, enquanto se funde às paredes, portas e janelas, dobradiças e maçanetas, chão e teto, absorve e afasta todo o mal, infortúnio, má sorte, olho gordo. Conjure:

"Guarde! Guarde! Barreira que ninguém pode passar.
Barreira dos Deuses que ninguém pode quebrar,
Barreira do céu e da terra que ninguém pode mudar,
Que nenhum Deus pode anular,
Nem Deus, nem homem pode relaxar.
Armadilha sem saída, armada para o mal,
Rede que ninguém tira, atirada para o mal.
Seja mal espírito, demônio ou alma penada,
Diabo, deus vingativo ou gênio do mau,
Vampiro, obsessor ou duende ladrão,
Fantasma ou espectro da escuridão,
Praga má, moléstia ou mal-estar.
Possa a armadilha de Ea apanhar.
Possa a rede de Nisaba prender.
Os que atacam a casa,
que sejam levados a uma porta aberta,
que sejam levados a entrar,
e um quarto sem saída hão de encontrar.
Com porta e ferrolho, uma tranca intransponível
hão de encontrar.
Que com água sejam vertidos,
Como uma taça, que se partam em pedaços,
Como um ladrilho, que se quebrem.
Que escureçam ao amanhecer,
E, ao amanhecer, sejam levados
a um lugar ensolarado."

Sua barreira de proteção está armada. O mau não ousará entrar.

Outra forma de preparar a sua casa para ser um local seguro, para você e para sua sorte, é utilizar os óleos do Hoodoo.

> ✓ **Óleo Casa Abençoada:** promove paz, harmonia, tranquilidade. Conserva a família unida, afasta a tristeza, as magoas e a discórdia; também é utilizado para promover a prosperidade, principalmente em épocas em que falta dinheiro.
>
> ✓ **Óleo Chave Mestra:** abre portas nos negócios e nas finanças, e também o coração de uma pessoa.

Conjura com o Óleo Casa Abençoada

Passe o óleo Casa Abençoada nas mãos, esfregando as palmas e faça a seguinte oração:

> *"Que possa a luz e a graça de Deus descer sobre mim, sobre este lugar, sobre estas pessoas, sobre este chão. Que as bênçãos divinas inundem esse lugar e o conservem feliz, harmonioso, saudável, próspero, farto".*

Toque com as duas mãos cada uma das paredes da casa e diga:

> *"Proteção".*

Toque em cada uma das fechaduras, maçanetas e dobradiças das portas e janelas enquanto diz:

> *"Que todas as forças hostis, toda a maldade, todas as brigas e discórdias deixem esta casa. Vocês estão sendo banidas neste momento."*

Toque no chão da casa e diga:

> *"Que a fertilidade e a abundância fertilizem e abençoem este lugar, esta terra, este chão, esta gente".*

Toque em todas as cadeiras e diga:

> *"Que a abundância e a fartura se sintam em casa, sentem-se conosco, bebam da nossa água, comam da nossa comida".*

Amém.

O Feitiço da Chave Mestra

Recolha todas as chaves da casa, inclusive as cópias que ficam com os moradores, e coloque-as todas juntas num prato. Passe o óleo Chave Mestra nas mãos e, segurando uma chave por vez, conjure:

> *"Que para o mal tu feches, que para o bem tu abras;*
> *Que para o azar tu feches, que para a sorte tu abras;*
> *Que para o infortúnio tu feches, que para o êxito tu abras;*
> *Que para os desentendimentos tu feches, que para o amor tu abras".*

Agora, com as mãos ainda besuntadas de óleo, segure a chave que abre a porta principal da casa e conjure:

> "Tu es a chave mais importante, pois é a que entra primeiro e a que sai por último. A tua obrigação és proteger este lugar, o mal afastar, as pessoas unir, o bem fazer, a prosperidade atrair e a sorte manter dentro de casa, **um lugar de conforto para que seus moradores possam ser felizes, descansar e sentir prazer em aqui estar**".

Essa última parte, em negrito, você deve repetir sussurrando, como se falasse apenas para essa única chave escutar.

– **Kefron Primeiro**, praticante de Hoodoo e Vodu, professor de Cultura Afro-Americana, psicoterapeuta, terapeuta holístico integrativo. Autor do *site* Hoodoo Tradicional – Brasil Conjure (www.brasilconjure.com) e proprietário da loja virtual Casa de Hoodoo (www.casadehoodoo.com)

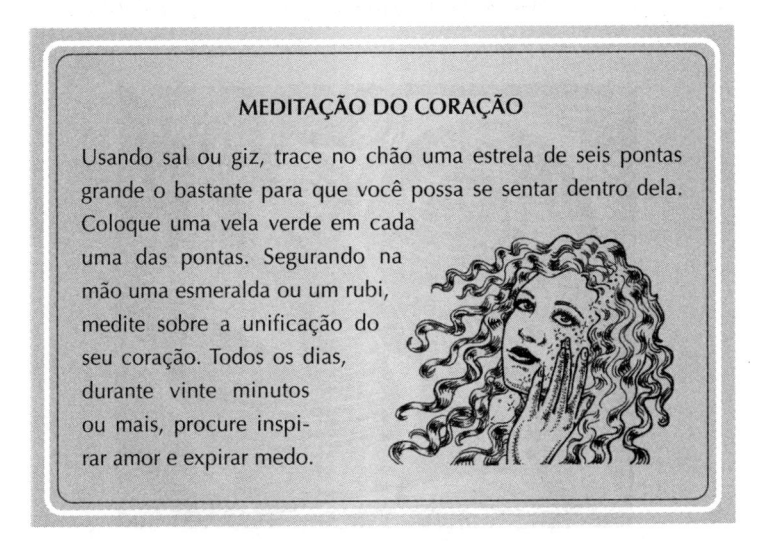

MEDITAÇÃO DO CORAÇÃO

Usando sal ou giz, trace no chão uma estrela de seis pontas grande o bastante para que você possa se sentar dentro dela. Coloque uma vela verde em cada uma das pontas. Segurando na mão uma esmeralda ou um rubi, medite sobre a unificação do seu coração. Todos os dias, durante vinte minutos ou mais, procure inspirar amor e expirar medo.

Feitiços de Restauração para Tempos de Crise

Doenças, perda, morte, dor, trauma – tudo isso acontece com todos nós. Tempos de crise podem nos desgastar a ponto de não sabermos mais quem somos quando as emergências finalmente cessam. Ao enfrentar esse vácuo subconsciente, podemos até sair em busca de uma nova crise ou acabar atraindo mais situações de emergência mesmo quando não paramos de repetir na nossa cabeça: "Preciso de um tempo!" O que precisamos, às vezes, é fazer uma pausa para sinalizar ao mundo espiritual que é hora de parar, pois precisamos tomar fôlego. Se não pedirmos essa pausa, o universo pode não reconhecer que você está falando sério e de fato precisa de descanso. Os feitiços de restauração são úteis nessas situações, para ajudar você a criar a estrutura necessária para se recuperar de qualquer rasteira que a vida tenha lhe dado.

Assim que você tiver um momento de calma ou lucidez, aproveite-o. Desligue o telefone e afaste-se de todos os dispositivos conectados à internet. Ignore as batidas na sua porta. Aproveite esse tempo para se recompor e cuidar um pouquinho de você, abrindo caminho para qualquer cura que precisar. Os rituais e práticas a seguir são um preparatório para os feitiços de restauração.

O que esperar da restauração

A magia da restauração traz de volta uma sensação de plenitude. Ela não renova um relacionamento (o trabalho de reconciliação é outra coisa, que envolve diálogos e consentimentos). Quando essa magia "faz efeito", traz uma sensação de calma e conexão com seu eu essencial. Mas, para ter esse resultado, o feitiço de restauração precisa ser personalizado.

A lista de perguntas a seguir serve para você entrar em contato consigo mesmo e, desse modo, auxiliar nessa personalização. Faça esse autoexame escrevendo no diário, conversando com um amigo ou fazendo uma avaliação física. Embora possa realizar os feitiços posteriores assim como foram apresentados, você pode definir a intenção desses feitiços para o que você precisa para se sentir completo e revitalizado.

Questionário

1. O que você perdeu?
   Anote o que você não tem mais, no aspecto físico e abstrato. Sua casa pode ter sido roubada e você pode ter perdido sua sensação de segurança, por exemplo.

2. Quais mudanças são permanentes como resultado dessa perda?

3. O que você precisa para sentir plenitude novamente?
   Você só pode recuperar a sensação de plenitude quando entender que sua nova totalidade não é igual à antiga.

4. Que partes de você parecem desequilibradas?
   Procure as partes de si mesmo que você parou de alimentar, incluindo *hobbies* e frivolidades semelhantes.

5. O que você precisa para se sentir nutrido agora?
   Essas frivolidades importam. Como você pode recuperar essa sensação de plenitude emocional? Em quais atividades você pode se envolver para ajudar nisso?

Ingredientes da restauração

Você já pensou no que pode restaurar e no que não pode. Agora reúna e prepare ingredientes para os rituais e feitiços necessários para retornar totalmente a si mesmo.

Receita de óleo de restauração:

Deixe de molho no azeite, por duas semanas, folhas de roseira, alecrim, raiz dourada (*Rhodiola rosea*) e gengibre. Ao final das duas semanas, coe as ervas e descarte-as, reservando o óleo. Use esse elixir para ungir ferramentas mágicas como velas ou seu corpo. Você também pode adicionar algumas gotas ao seu xampu se quiser resultados cumulativos.

Moedas

Parte da restauração envolve se dirigir ao Criador e pedir que partes suas que se perderam ao longo da vida sejam devolvidas. Mesmo que essas partes tenham pertencido a você, o mundo espiritual tem uma mentalidade de que "achado não é roubado". Consequentemente, você vai precisar dar algo em troca se quiser recebê-las de volta. As moedas de 1 real funcionam bem. Essa troca – uma moeda deixada numa encruzilhada – funciona como um feitiço por si só ou como parte de um ritual maior e mais complexo.

Banhos

Os banhos rituais não requerem imersão. Para a prática de restauração, tome um banho ou aplique um esfoliante. Continue o ritual de autolimpeza até sentir que completou todos os feitiços de restauração necessários.

Feitiços de restauração

Agora que você tem os ingredientes e rituais preparados, você pode passar para os feitiços mais adequados ao que deseja restaurar.

Para restaurar a sensação de segurança

Antes de começar este feitiço, pense o que a segurança significa para você. Com isso fixo em sua mente, prossiga com o trabalho. Você vai precisar do óleo da Restauração, um lugar onde possa fazer uma reflexão silenciosa, uma pulseira de correntinha com fecho.

Primeiro, tome um banho ritual para se purificar de energias acumuladas ao longo dos dias. Depois de se secar e antes de se vestir, toque o topo da cabeça, os lábios, o coração, as costas de cada mão, a barriga e o arco de cada pé com o dedo untado de óleo da Restauração. Quando terminar, fique de pé com as pernas e os braços bem separados, assim como o homem vitruviano. Imagine que o Sol e as estrelas estão entrando em você até que, em sua mente, você se veja brilhando de dentro para fora. Quando se sentir preenchido com essa luz, pegue a pulseira. Coloque a pulseira no teu braço dominante. Deslize a trava pela corrente e feche. Use-a por uma semana como um lembrete desse ritual. No final da semana, tire-a e guarde-a para futuros reforços desse feitiço.

Para restaurar a paz em um lar

Às vezes, depois de limpar a casa e pôr tudo em ordem, ela ainda parece tumultuada. Embora a paz só seja possível quando os relacionamentos estão em harmonia, elevar a vibração do ambiente para que ele fique mais agradável pode ajudar. Você vai precisar do óleo da Restauração, 1 vela azul de 7 dias, 1 tigela, água, casca de laranja, pau de canela; fava de baunilha.

Esfregue uma pequena quantidade de óleo da Restauração no pavio da vela e coloque-a na tigela. Encha a tigela com uns dois dedos de água como segurança contra incêndios. Adicione a casca de laranja, a canela e a baunilha à água. Acenda a vela e peça a Psique, o arcanjo Gabriel ou qualquer divindade do seu agrado para expandir a paz na sua casa. Imagine essa energia evaporando da tigela de água. Acenda a vela 1 hora por dia até que a cera desapareça completamente.

Para restaurar a paz na sua vizinhança

Se o seu bairro tem episódios frequentes de roubos ou outros problemas, este feitiço pode restaurar a harmonia na comunidade.

Reúna os materiais para o feitiço da vela, para restaurar a paz em casa. Pegue um marca-textos. Na vela, escreva o nome dos principais cruzamentos do seu bairro. Adicione um pouco de terra, areia ou poeira dessas ruas transversais, deixando um real em cada encruzilhada como pagamento pelas energias. Quando a vela queimar completamente, jogue fora o copo da vela e reserve a água. Borrife a água na frente dos pontos problemáticos e nas encruzilhadas indicadas na vela.

Para restaurar a justiça

O trabalho da justiça é diferente da restauração, mas às vezes é preciso feitiços de restauração para se obter justiça. Este feitiço restaura a estrutura social que permite a justiça. Ele requer de 3 a 7 sessões de feitiço no mínimo, porque requer o contato com um espírito assistente.

Efetue este trabalho apenas ao ar livre, com os instrumentos adequados para apagar incêndios.

> **VOCÊ VAI PRECISAR DE:**
> - Um espírito (santo, divindade, anjo etc.) associado à engenharia ou ao trabalho duro, como Hefesto, São Patrício, São José, Héstia, Aediculos ou Vishwakarma,
> - uma churrasqueira a carvão,
> - uma oferenda para o espírito,
> - uma caneta,
> - papel,
> - folhas de louro,
> - incenso de resina, como o olíbano,
> - líquido oferecido em agradecimento.

Primeiro, estabeleça um relacionamento com o espírito cuja ajuda você deseja. Não troque de seres imediatamente se sentir que não recebeu uma resposta. Às vezes você tem que deixar a entidade se afastar algumas vezes para provar que você está falando sério.

Inicie a interação montando um pequeno altar, de preferência o ar livre, perto da churrasqueira. Dê uma oferenda apropriada ao seu espírito. Enquanto isso, apresente uma carta, pedindo ajuda na criação de condições que permitam um caminho para o retorno da justiça. Aproveite esse tempo para ler o pedido em voz alta, se possível. Grande parte desse feitiço em particular se baseia na antiga crença egípcia de que a fumaça levava as orações e as mensagens até as divindades. Queime o incenso. Converse com a entidade escolhida.

Sente-se em frente ao altar uma vez por dia. Durante essas sessões, fale em voz alta, explicando o que aconteceu para minar a justiça. Leve uma oferenda ao espírito, diga seu nome e uma oração, e então coloque a carta com o pedido, as folhas de louro (por justiça) e o incenso de resina (para reparar as lacunas) na churrasqueira e queime até as cinzas. Deixe queimar e, em seguida, despeje uma oferenda líquida de agradecimento à sua divindade ou espírito. Deixe passar 24 horas, e então comece qualquer trabalho para que a justiça se faça.

Procure ser flexível e realista em suas expectativas ao realizar esses feitiços; a restauração não é algo que se possa apressar. Você não reverterá o tempo nem recuperará exatamente o que perdeu; em vez disso, obterá um novo eu recuperado. Esses feitiços ajudam você a atingir uma versão saudável o suficiente de si mesmo para que possa fazer o que é preciso para se tornar uma pessoa mais plena e feliz.

– Extraído e adaptado de *Spells of Restoration*, de Diana Rajchel, *Llewellyn's 2022 Magical Almanac*.

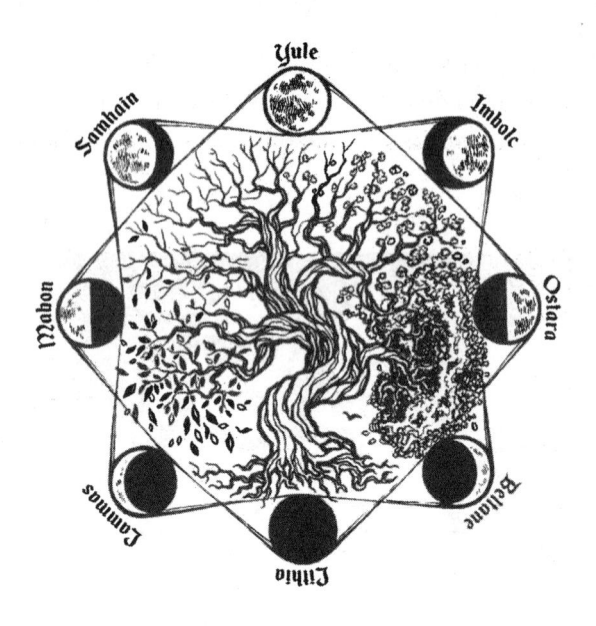

A Magia Perfeita para cada Estação do Ano

A maioria dos praticantes de magia sabe da importância das fases da Lua em feitiços e outros trabalhos mágicos. Conhecemos a Roda do Ano, dividida em oito partes iguais, cada parte representando um dos oito festivais antigos, também conhecidos, na Wicca e na Bruxaria, como os quatro sabás maiores e os quatro menores. Mas até que ponto estamos em sintonia com a natureza e com seu ciclo eterno de nascimento, vida e morte? É fácil comemorar Samhain, Imbolc, Beltane ou Yule com decorações festivas, comidas especiais e tradições, mas o que existe no fundo de cada uma dessas celebrações sazonais e como entramos em contato com cada estação na nossa prática de magia?

    O ciclo da natureza está ao nosso redor o tempo todo e nós fazemos parte dele. Em certos momentos, o incrível poder da natureza é bastante claro (um furacão, o mar aberto, um trovão, ventos fortes), mas, mesmo quando não estamos prestando atenção, o poder da natureza ainda está presente e é a nossa maior fonte de energia mágica, que podemos usar para potencializar a nossa magia.

Cada uma das quatro estações tem um elemento associado a ela. Esses elementos foram reconhecidos e usados pelos alquimistas nos tempos medievais: Fogo, Ar, Água e Terra. Quando realizamos rituais mágicos e feitiços, costumamos evocar ou agradecer cada um desses quatro elementos. Cada um deles rege uma direção: o Fogo rege o Sul, o Ar rege o Norte, a Água rege o Oeste e a Terra rege o Leste. Os elementos masculinos são o Ar e o Fogo; o feminino é a Água e a Terra. O Sul e o Norte são, portanto, direções masculinas, e as estações associadas a elas, o verão e o inverno, são estações masculinas. Do mesmo modo, a Terra, a primavera, a Água e o outono são femininos. Além dos elementos, cada estação tem um planeta, uma cor, uma pedra e um fluido correspondentes. Conhecer os símbolos de cada estação o ajudará a escolher materiais, locais e tipos de feitiços e magia apropriados, mas estar em contato com a natureza lhe dará o poder de fazer sua mágica funcionar.

Magia da Primavera

A primavera está associada ao crescimento, à nova vida, à maternidade e a novos começos. Mesmo que você more num centro urbano, é difícil não notar pequenas folhas verdes nascendo nas árvores, o canto dos pássaros enquanto constroem seus ninhos, o clima mais ameno e os dias mais longos, começando no equinócio e atingindo seu pico no solstício. A Terra gira em seu eixo, mais perto do Sol durante este período, e o aumento da luz solar sinaliza que as plantas crescem e os mamíferos perdem a pelagem de inverno e se acasalam.

Para muitas pessoas, a primavera é a estação mais feliz do ano, porque significa nova esperança, ressurreição de uma nova vida que se desvaneceu e cessou durante o inverno. Essa é a primeira parte da metade clara do ano. Quando a vida está explodindo ao nosso redor, esse é o momento mais oportuno para a magia do crescimento, quer isso signifique um aumento na riqueza, na saúde, na felicidade, na sorte, no amor ou em qualquer outra coisa.

Na magia cotidiana, a primavera é um ótimo momento para honrar todos os seres vivos, inclusive as árvores. A primavera é um excelente momento para apreciar como as pessoas importantes em nossa vida nos enriquecem e nos ajudam a crescer e agradecê-las com algum pequeno gesto ou presente natural, como uma flor, uma planta ou uma semente.

Essa estação é auspiciosa para trabalhar feitiços relacionados ao amor, ao dinheiro e ao sucesso, em particular. Ao escolher materiais para um feitiço trabalhado na primavera, preste muita atenção às cores (amarelo, verde), aromas (florais), todos os aspectos sensuais e sua posição, que deve ser com os pés firmemente plantados na terra e voltados para o leste.

Feitiço de Primavera para Crescimento e Aumento

VOCÊ VAI PRECISAR DE:
- ✓ 1 vela verde perfumada;
- ✓ 1 vela amarela perfumada;
- ✓ fósforos ou isqueiro;
- ✓ quatro bulbos de lírio branco;
- ✓ 1 vaso pequeno cheio de terra;
- ✓ 1 colher de sopa de pétalas de flores amarelas.

Coloque esses itens em seu altar para que você possa alcançá-los enquanto estiver voltado para o leste. Este feitiço pode ser lançado a qualquer momento entre o amanhecer e o meio-dia, no início da primavera. Você estará principalmente invocando o poder do Sol, mas faça o feitiço no dia de uma Lua Cheia ou Crescente. Acenda a vela verde e diga:

Eu invoco os poderes da Mãe Natureza para me ajudar a aumentar _____ (amor, dinheiro, sucesso, o que quer que seja) na minha vida (ou de outra pessoa).

Acenda a vela amarela e diga:

> *Apelo aos poderes do Sol para me*
> *ajudar nesse aumento.*

Pegue os bulbos nas mãos em concha e imagine cada um deles representando um passo adiante no aumento que você procura. Imagine isso da maneira mais detalhada possível. Quando estiver pronto, diga:

> *Planto meu desejo de crescimento nas profundezas da terra nutritiva e, à medida que os dias se alongam e a vegetação cresce e se eleva do solo, meu desejo também cresce e vem à luz.*

Plante os bulbos no vaso, com o lado plano para baixo. Polvilhe as pétalas amarelas sobre o solo e coloque o vaso numa janela ensolarada. À medida que as flores crescerem e desabrocharem, o que você deseja também crescerá.

Magia de Verão

O verão é masculino, regido por Marte. Sua pedra é o rubi vermelho; seu fluido é o sangue; sua direção, o Sul; e seu elemento, o Fogo. Sua cor é vermelha e a salamandra é seu ser mágico. O verão, que começa oficialmente no solstício de verão, é quando os dias ficam mais longos. Embora eles estejam, na verdade, ficando cada vez mais curtos, isso acontece muito devagar, especialmente no início, então parece que temos muitas semanas de dias de verão gloriosamente longos e brilhantes. O verão também é quando a maioria das pessoas passa muito mais tempo ao ar livre, aproveitando o calor, as árvores de folhas verdes, as chuvas de verão e as flores perfumadas. Passar mais tempo ao ar livre faz com que as pessoas fiquem mais extrovertidas, o que provavelmente se deve em parte ao efeito da luz solar em nosso corpo. Altas doses de vitamina D são relaxantes, podem aliviar a ansiedade e a depressão e deixar os ossos, os dentes e os músculos mais saudáveis. Além disso, acredita-se que a cor verde profunda da vegetação ao nosso redor alivie o estresse e promova a cura.

O verão é a melhor época para a magia relacionada à força, à energia, às novas oportunidades, à mudança, à saúde e à generosidade. Na vida cotidiana, você provavelmente conhecerá mais pessoas, crianças e idosos, do que em qualquer outra época, e isso lhe dará a chance de espalhar boas energias em cada interação humana que tiver, não importa o quanto seja pequena ou grande. Sinta a força da natureza fluindo através do seu corpo e do seu espírito e compartilhe-a com todos que encontrar. O feitiço de verão pode ser extremamente poderoso, porque a natureza está em sua plenitude e dará mais impulso à sua magia.

Feitiço de Verão para a Força Psíquica

> **VOCÊ VAI PRECISAR DE:**
> - 1 pitada de areia de praia;
> - 1 pitada de terra de jardim;
> - 1 pitada de terra de montanha;
> - 1 prego de ferro ou uma pedra vermelha;
> - 1 saquinho vermelho;
> - 1 vela branca.

Junte todos os itens no saquinho vermelho e feche-o bem (você pode primeiro colocar os ingredientes num saquinho plástico e colocá-lo dentro do saquinho vermelho, para ficar mais seguro).

Saia ao ar livre numa noite de Lua Crescente ou Cheia e, diante da vela acesa, segure o saquinho na mão esquerda. Feche os olhos e se concentre no calor da chama. Imagine-a entrando no seu corpo, fluindo através de você e enchendo-o de força e sentimentos calorosos e positivos. Agora imagine a força e natureza indômita do fogo fluindo para o seu braço esquerdo, depois para a sua mão esquerda e finalmente para o saquinho. Mantenha os olhos fechados até que todo esse calor e força sejam transferidos para o saquinho. Então diga silenciosamente as palavras a seguir:

> *Fogo indomável, insufle este amuleto com sua força e calor, para que eu possa invocá-lo a qualquer hora para aumentar meus dons psíquicos.*

Quando você for para a cama, deixe o saquinho em algum lugar à esquerda da sua cabeça enquanto dorme. Todas as noites, ao dormir, medite sobre o poderoso amuleto do fogo, perto da sua cabeça, e sua força psíquica aumentará a cada dia, pelo resto do verão.

Magia de Outono

Por volta do equinócio de outono, a energia feminina toma novamente as rédeas. O outono é o momento de se preparar para dias mais frios. À medida que eles vão ficando mais curtos e as noites cada vez mais longas e frias, começamos a ficar mais introspectivos. O elemento do outono é a Água, como no útero ou no oceano regido pela Lua. A cor do outono é o azul; sua pedra, o lápis-lazúli; seu planeta, o pensativo Saturno; e sua direção, o oeste. Agora as folhas começam a cair e os últimos frutos do trabalho de verão são colhidos.

O outono é a época da magia do banimento, de se livrar de hábitos nocivos ou relacionamentos desgastados. É tempo da magia que muda o interior das coisas e das pessoas, da magia para o lar e para a vida doméstica. A sensação agora é de pôr do sol ou crepúsculo, de lenha queimando na lareira, de vento e chuva, de conforto dentro de si e da sua casa. Concentre-se nesses sentimentos à medida que a estação avança. A magia diária agora pode incluir pequenas melhorias na casa e a arrumação da desordem, uma mudança na decoração, culinária, panificação, artesanato e hobby praticados dentro de casa e que trazem satisfação pessoal. Noites aconchegantes à luz do fogo e passeios na mata para colher nozes, cogumelos ou folhas coloridas são atividades que o colocarão em contato com a energia natural do outono. O feitiço no outono é mais eficaz quando feito ao luar, e a Lua Minguante é o momento mais propício.

Feitiço de Banimento de Outono

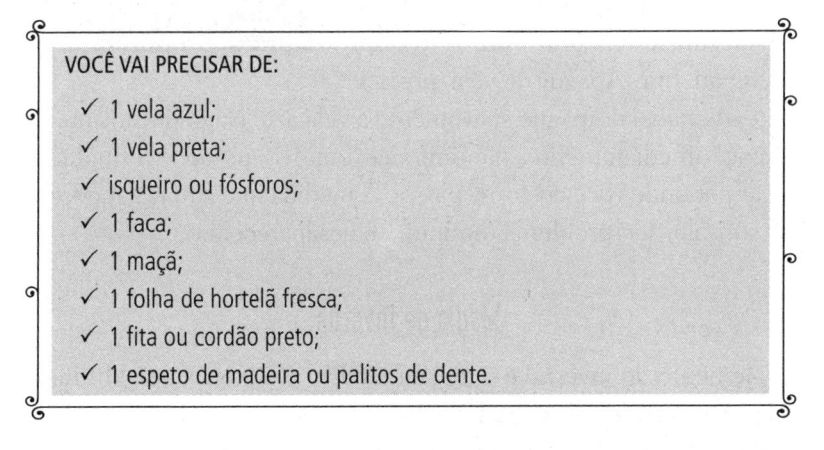

VOCÊ VAI PRECISAR DE:
- 1 vela azul;
- 1 vela preta;
- isqueiro ou fósforos;
- 1 faca;
- 1 maçã;
- 1 folha de hortelã fresca;
- 1 fita ou cordão preto;
- 1 espeto de madeira ou palitos de dente.

Numa noite de Lua Minguante, volte-se para o Oeste com as duas velas à sua frente. Ao acender a vela azul, diga estas palavras:

Eu acendo o azul para a presença de energia feminina.

Imagine a água cristalina fluindo no subsolo, longe de você, através de riachos e córregos e rios e em oceanos e mares. À medida que a água flui, ela carrega detritos e resíduos. Acenda a vela preta e diga:

Invoco os poderes minguantes da Lua, que rege essas águas e correntes, para banir aquilo que não nomeio.

Ao dizer essas palavras, visualize aquilo que você deseja banir como uma bolha escura com um sentimento ligado a ela, mas sem nome e sem forma. Corte a maçã ao meio horizontalmente para que seu pentagrama interno seja revelado. Esfregue a metade inferior com a folha de hortelã enquanto visualiza a bolha escura. Coloque as duas metades da maçã de volta fechando-as com a folha de hortelã e prenda-as firmemente com o espeto de madeira; em seguida, enrole-a com o cordão preto ou fita. Apague a vela preta e grite, *Assim seja!* Apague suavemente a vela azul e agradeça. Enterre a maçã imediatamente, não em sua propriedade ou em qualquer lugar por onde você costuma passar. À medida que a maçã apodrece no subsolo, seu problema diminuirá e desaparecerá.

Magia de Inverno

O elemento do inverno é o ar; sua direção é o Norte; seu líquido é o leite; sua pedra é o cristal e o diamante; sua cor é o branco; e seu planeta, Júpiter. Ele é masculino. O inverno é a época de nos recolhermos em nosso mundo interior. As noites são longas e temos muito tempo para a contemplação e para acumular conhecimento por meio dos livros, da internet, das leituras de tarô, dos filmes e das conversas ao pé do fogo. Com todo o conhecimento que seu cérebro está absorvendo no inverno, os sonhos se tornarão mais vívidos e significativos, pois vão refletir e estabilizar seu novo conhecimento. O inverno é um bom momento para manter um diário de sonhos e usá-lo para ter *insights* e revelações.

Banho onírico de inverno

Tomado antes de se deitar, este banho o relaxará, trará sonhos vívidos e cheios de significado, e o ajudará a se lembrar deles.

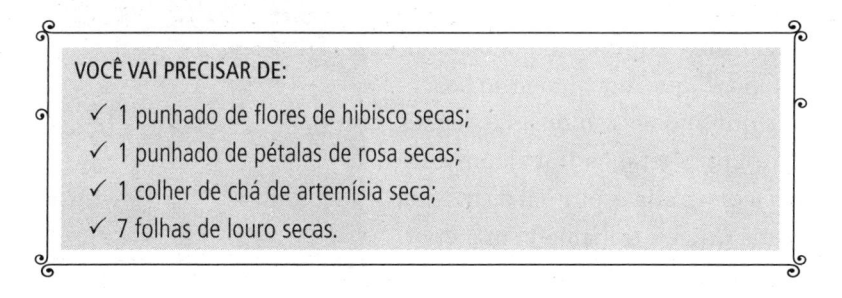

> **VOCÊ VAI PRECISAR DE:**
> ✓ 1 punhado de flores de hibisco secas;
> ✓ 1 punhado de pétalas de rosa secas;
> ✓ 1 colher de chá de artemísia seca;
> ✓ 7 folhas de louro secas.

Faça uma mistura com os ingredientes e jogue-a na água do banho fumegante, adicionando uma colher de chá de água de flor de laranjeira. Acenda velas ao redor da banheira e desligue as luzes elétricas. Mergulhe na água perfumada. Observe as chamas bruxuleantes das velas e respire profundamente o vapor perfumado. Imagine sua respiração misturando-se com o vapor e o ar quente acima das velas. Depois de um tempo, feche os olhos e relaxe completamente. Fique na água o quanto quiser. Quando estiver pronto, saia da água, envolvendo-se numa toalha limpa ou num roupão de banho. Apague as velas com seu sopro mágico e vá para a cama. Bons sonhos!

— Extraído e adaptado de *Seasonal Magic*, de Suzanne Ress, *Llewellyn's 2022 Magical Almanac*.

Magia dos Monges do Tibete

Uma das técnicas mais úteis que já conheci foi inspirada em minhas viagens e pesquisas no Himalaia tibetano. Fiquei encantada ao descobrir que monges, monjas e yogues tântricos tibetanos trabalham com sua iconografia espiritual da mesma forma que eu trabalho com a energia arquetípica do tarô. Foi assim que eu conheci o que vou chamar de "devorador do mal".

Nós, praticantes de Bruxaria, sabemos que sempre recebemos da vida exatamente o que precisamos a cada momento. No entanto, dói quando nossos pedidos ao Criador não são atendidos. A aceitação da decepção, da escuridão e da tristeza faz parte de ser completo e saudável. O "devorador do mal" é uma técnica tibetana que o ajudará quando você estiver passando por um período de tristeza, depressão ou decepção, e precisa cuidar da sua alma. O devorador do mal alivia problemas emocionais e mentais, bem como situações desafiadoras da vida diária. Você também pode evocar um devorador do mal para tornar a sua vida mais suportável quando estiver passando por um processo de dor. Evoque-o quando seu coração estiver despedaçado ou para vencer um ciclo de pensamento repetitivo ou negativo.

O Segredo do Mago

A evocação de um devorador do mal é um processo composto de três etapas. Primeiro, você precisa integrar o segredo da realidade do Mago. Em segundo lugar, selecione e invoque o devorador do mal com o qual deseja trabalhar. Terceiro, peça permissão e comece a trabalhar com ele.

O segredo da realidade do Mago reside no baralho de tarô. Observe a carta do Mago em qualquer tarô histórico, como o francês de Marselha. O mago é representado atrás de uma mesa, sobre a qual estão os quatro naipes do tarô, cujos nomes antigos são: varinhas (paus), taças (copas), espadas e pentáculos (ouros). Esse é um lembrete de que os instrumentos de que você precisa estão sempre à sua frente. O segredo da realidade também se esconde entre esses instrumentos.

As varinhas estão em sintonia com o elemento Fogo. Sentimos as varinhas do tarô em nosso corpo quando vivenciamos paixão, desejo e energia. Observamos a energia nos outros e sentimos a nossa quando nossas bochechas ficam vermelhas de excitação, por exemplo. Mas não podemos segurar a paixão nas mãos. Ela é intangível.

As taças estão em sintonia com o elemento Água e experimentamos as taças do tarô por meio das emoções, da imaginação e do amor. Fazemos coisas usando nossa criatividade, mas fantasias não são algo que podemos colocar numa caixa. Conhecemos a empatia quando a sentimos. Mas o amor e os sonhos não são algo que podemos tocar com os dedos. O naipe de espadas se sintoniza com o elemento Ar. As espadas do tarô se movem através de nosso corpo na forma de pensamentos, ideias e histórias que contamos a nós mesmos e aos outros. Podemos escrever ou expressar oralmente um pensamento quando falamos. Mas um pensamento não é algo que possamos tocar ou saborear. Ideias e cálculos são intangíveis. O naipe de pentáculos está em sintonia com o elemento Terra. Podemos sentir os pentagramas do tarô com nosso sangue, nossos ossos e nosso corpo. O elemento Terra é tudo o que podemos ver, sentir, tocar, saborear e cheirar. Você descobriu o segredo do Mago? Ele contém o segredo de quem você é.

Não somos nossas paixões. Sentimos excitação, nos identificamos com a alegria, mas não somos a paixão nem a alegria. Não somos nossas emoções. Percebemos ondas de sentimento que nos levam a agir. Mas não somos nossos sentimentos. Ideias e narrativas malucas preenchem nossa mente sempre racional. Mas não somos nossos pensamentos. Um pensamento é simplesmente algo que temos. A terra é o único elemento que podemos ver, tocar, saborear, ouvir e cheirar.

O segredo do Mago: três quartos do mundo são invisíveis. O universo não existe "lá fora". Ele existe dentro de *nós*!

Quem somos nós? Somos a inteligência enxergando através dos nossos olhos. Somos o observador. Somos o Mago. Esse segredo nos dá a possibilidade de escolher como queremos reagir a qualquer emoção, ideia ou impulso. Podemos optar por reagir a qualquer coisa com a nossa mais profunda autenticidade. O Mago não lança magia no mundo exterior. Ele lança a magia em si mesmo. É fácil ser uma criatura mágica quando a vida transcorre sem nenhum percalço. Mas e quando nos deparamos com obstáculos? O que podemos fazer quando a vida fica mais difícil?

O devorador do mal é um relacionamento que você pode cultivar para ajudá-lo nos momentos mais difíceis da vida. Ele é a energia com que você faz amizade e a quem você alimentará com seus padrões de pensamento negativo e emoções sombrias.

A escolha do seu devorador do mal

Escolha o seu devorador do mal associando-o com algo que seja familiar e confortável para você. Pode ser uma energia divina, uma energia arquetípica ou uma energia vegetal. Pode ser um deus ou deusa que esteja dentro do seu sistema espiritual. Hécate, Brigid e Kali são excelentes escolhas. A carta da Morte do tarô é um devorador do mal perfeito, porque a Morte vai devorar seu luto e reciclá-lo, transformando-o em algo novo. Confie em seus instintos. Você pode escolher uma erva ou árvore (mas não um animal). A agripalma é altamente recomendada devido às suas propriedades calmantes, mas você pode selecionar qualquer erva ou árvore de que goste e a qual tenha acesso. Um pé de alecrim ou de hortelã, por exemplo, que também têm propriedades purificantes.

Durante o crepúsculo, sente-se ao ar livre diante da imagem escolhida ou da erva ou árvore com a qual escolheu trabalhar. À medida que o sol poente lança longas sombras e o céu fica cor-de-rosa e roxo, acenda uma vela e olhe para a deusa, carta de tarô ou planta escolhida. Concentre-se. Observe tudo. Com ela é? Qual é o cheiro? Quais são as cores? Como ela faz você se sentir?

Feche os olhos e continue a explorar a deusa, arquétipo ou planta. Aproxime-se da energia e receba-a oficialmente em sua vida. Explique sua situação para a energia e peça permissão para transferir seus padrões de pensamento negativos, repetitivos, sombrios ou dolorosos para ela. Deixe que a energia fale por si mesma. Se a energia lhe der permissão para trabalhar com ela, você pode perguntar se há alguma mensagem adicional que ela gostaria de compartilhar com você.

Mantenha a imagem do devorador do mal por perto nos próximos dias. Toda vez que você se sentir dominado por emoções desafiadoras ou pensamentos destrutivos, tristes ou deprimentes, lembre-se da imagem do seu devorador do mal. Respire fundo, feche os olhos. Com o olho da mente, deixe que ele absorva os pensamentos e emoções negativos ou repetitivos. Isso lhe dará espaço para se curar e a capacidade de mudar o padrão de pensamento, dando-lhe espaço para crescer.

Agradeça ao seu devorador do mal, fazendo alguma boa ação em nome dele, irradiando boas energias para o planeta ou plantando ervas, árvores ou flores. O trabalho com energias e espíritos é uma relação de mão dupla. Ele reflete os relacionamentos da nossa vida. Sempre trate seu pacto sagrado com o devorador do mal com respeito e cortesia, para manter o vínculo entre vocês forte e saudável.

– Extraído e adaptado de *How to Summon a Grief Eater*, de Sasha Graham, *Llewellyn's 2022 Magical Almanac*.

Use a Magia para Fazer uma Viagem Segura

Após a pandemia do COVID-19, um número cada vez maior de pessoas vai pegar estrada para trabalhar e se divertir. O aumento do tráfego significa maiores chances de acidentes. Realize este ritual para fazer uma viagem segura, seja um trajeto mais longo ou a ida e a volta do trabalho.

VOCÊ VAI PRECISAR DE:
- ✓ óleo essencial de hortelã-pimenta para proteção (também é bom para manter você alerta!);
- ✓ uma vela preta ou azul-clara (as duas cores têm qualidades protetoras);
- ✓ marcadores preto e azul-claro;
- ✓ fitas preta e azuis-clara de trinta centímetros.

Unte a vela azul ou preta com o óleo de hortelã-pimenta. Acenda-a e use a chama para se concentrar. Quando estiver pronto, entre no Google Maps ou no seu serviço *on-line* favorito para ver o mapa do seu trajeto. Não se apresse. Inclua no mapa todas as paradas que planeja fazer, depois o imprima. Usando o marcador preto, trace sua rota no mapa impresso, visualizando você mesmo chegando a cada destino com segurança. Escreva um mantra ao lado sua rota (sinta-se à vontade para mudar as palavras e adaptá-lo!):

> *Na ida e na volta, acompanhado ou sozinho, me (nos) mantenha a salvo, por todo o caminho.*

Agora pegue o marcador azul-claro e trace sua rota com traços largos, como se fosse uma aura protetora em caso de desvios ou mudanças de planos.

Enrole o mapa, repetindo o mantra, depois amarre com as fitas. Por que enrolar em vez de dobrar o mapa? Afinal, a maioria dos mapas (da minha época, pelo menos) era dobrada (e irritantemente difícil de dobrar novamente!). O movimento de enrolar torna a viagem mais suave e rápida. Os vincos feitos com a dobradura do papel simbolizam cortes no mapa, que podem provocar paradas inesperadas ou bloqueios em sua viagem.

Mantenha o mapa com você enquanto estiver viajando. Boa viagem!

> – Extraído e adaptado de *Mapping the Magic*, de Natalei Zaman, *Llewellyn's 2022 Magical Almanac*.

O Círculo Sagrado do Tarô

As divindades masculinas dos arcanos maiores e suas aplicações mágicas

O Tarô é a morada dos deuses. Quando mergulhamos a fundo nos Arcanos Maiores, percebemos que muitos dos seus símbolos fazem referência direta ou indireta a diversas divindades. Se você já faz contato com a magia das deusas dos Arcanos Maiores[1], é tempo de testemunhar os deuses de cada um dos arcanos considerados masculinos, suas particularidades em relação à carta e suas aplicações na magia. Mas atenção: essas são sugestões baseadas no simbolismo comparado dos arcanos e das divindades e não devem ser consideradas as mais certas ou as únicas viáveis.

O tarô é sempre baseado em possibilidades, não em verdades inquestionáveis. Você pode pesquisar a fundo as associações a seguir ou relacionar outros deuses às cartas, levando em conta que a correspondência entre a divindade e a carta deve sempre ser coerente e bem fundamentada. Quanto mais alinhados os arcanos estiverem com os deuses que você escolher, mais proveitosa será a vivência com eles. E lembre-se: **o tarô é inclusivo**. Basta respeitar sua estrutura e fazer associações bem embasadas. Assim você aumenta a eficácia do oráculo como ferramenta mágica em rituais, feitiços e meditações.

---

[1] Confira o artigo complementar *A Dança Espiral do Tarô*, no Almanaque Wicca 2022.

O MAGO

Palavras-chave: magia, criatividade, inspiração, desenvoltura

O Mago é o artista de rua, o ilusionista, o arquiteto e o agente dos movimentos promissores. Ele atua, representa e encanta plateias com suas *performances*, já que encarna o princípio ativo do ser humano. A criatividade, a meticulosidade e o domínio das mãos e das palavras faz dele o mais bem informado, atento e desenvolto dos Arcanos Maiores. *O Mago* não deixa passar nada, porque ele quer saber de tudo ao redor e além.

O DEUS DO ARCANO ✦ Os deuses ligados à linguagem, aos sortilégios e ao raciocínio podem ser associados a este Arcano Maior. A divindade classicamente associada a este arcano é Hermes, senhor da magia, dos artesãos, das invenções, da comunicação e do comércio.

MAGIA ✦ Use *O Mago* em rituais para expandir sua percepção sobre situações e pessoas, criar disposição para se dedicar ao que gosta e trazer clareza a cada atitude tomada. *O Mago* é excelente em feitiços para aprimorar e encantar a sua palavra, seja escrita ou proferida, atraindo expectadores ou convencendo seus interlocutores.

O IMPERADOR

Palavras-chave: estrutura, controle, razão, poder

O grande regulador do tarô é *O Imperador*, símbolo do poder estabelecido, do autoritarismo e da estrutura. O reino material é dele, assim como todos os assuntos ligados à virilidade, ao dinheiro, ao trabalho e à manutenção do que se conquista. *O Imperador* constrói, comanda e governa.

O DEUS DO ARCANO ✦ Zeus, o grande senhor do Olimpo, é um dos nomes mais óbvios a serem associados a este arcano. Ele representa a onisciência e a onipresença, aquele que a tudo preside e controla, mesmo que nem tudo seja conforme ele queira. É o deus obstinado, poderoso e apaixonado pelas suas próprias vontades. O que Zeus determina, quase ninguém desbanca.

MAGIA ✦ Aplique este arcano em rituais para atrair mais segurança emocional, pragmatismo e seriedade. Se você passa por períodos de indecisões, *O Imperador* pode ser muito eficaz para situar você diante das necessárias escolhas e arcar com elas. É útil para demonstrar maior profissionalismo, franqueza e idoneidade naquilo que se faz. E, também, serve para inspirar uma postura altiva que intimide as pessoas ao seu redor.

O PAPA

Palavras-chave: educação, conhecimento, ordem, crenças

Eis o sacerdote, o xamã, o padre, o intermediário entre as forças superiores e a vida terrestre. Mesmo que seja uma autoridade espiritual e que faça alusão às religiões dominantes, *O Papa* representa a educação e também os antigos caminhos. Ele rege a memória e a palavra escrita, falada e cantada. É o guardião das tradições que são transmitidas às novas gerações.

O DEUS DO ARCANO ✦ Os deuses que se ocupam de ensinar, proteger e instruir heróis e outros deuses, assim como aqueles ligados à ancestralidade e à sabedoria tradicional, podem ser vislumbrados neste arcano. Ele assume o comando da comunicação entre os mundos. Um exemplo é Ogma, deus celta da linguagem e da eloquência, senhor dos bardos e provável criador do alfabeto Ogham, usado como oráculo pelos druidas.

MAGIA ✦ Coloque *O Papa* em seu altar para fazer desse espaço sagrado um lugar de comunhão com a sabedoria dos seus ancestrais. Este arcano é bastante proveitoso em rituais para desenvolver habilidades de fala e escrita, obter orientação espiritual. Também é o arcano ideal para fortalecer sua confiança (ou fé) nos deuses e reforçar seu compromisso com eles.

O ENAMORADO

Palavras-chave: desejo, dúvida, paixão, escolhas

Eis o arcano das dúvidas, dos dilemas e das incertezas, mas também do prazer, do arrebatamento erótico e da paixão. *O Enamorado* é o estandarte do amor e representa também a vida social, as escolhas que devem ser tomadas para que a vida siga o seu fluxo em graça e beleza. É o jardim das delícias do tarô, sempre aberto a quem deseja se aventurar por ele.

O DEUS DO ARCANO ✦ Eros, conhecido como Cupido, é o deus por excelência desse arcano e marca presença na maioria dos baralhos, desde os mais antigos. Ele é o arqueiro entusiasmado que distribui cegamente as flechas da paixão e altera radicalmente o destino de quem atinge. Eros é a divindade do desejo, o jovem alado dos sentimentos indomáveis e o propiciador das descobertas e das experiências sexuais.

MAGIA ✦ Use *O Enamorado* em rituais e encantamentos para movimentar a vida afetiva, aumentar a libido e trazer amor aos seus dias. Este arcano é indicado para expandir seu círculo de amizades, atrair um namoro ou casamento e ampliar as possibilidades de relacionamentos, sejam eles sexuais ou não. A carta também é útil para desenvolver autoconfiança e certeza em suas atitudes e palavras. Convoque *O Enamorado* em trabalhos mágicos para aumentar sua beleza e sensualidade.

O CARRO

Palavras-chave: obstinação, vitória, confiança, vontade

Se tem um arcano que nos coloca em verdadeiro movimento é O Carro. Ele simboliza a tecnologia, a velocidade, as invenções, a vontade aplicada em nome de um ou vários propósitos. É o herói na direção dos seus objetivos, independentemente dos desafios no caminho. Custe o que custar, O Carro segue firme e forte porque não tem tempo a perder. É a carta do foco, da atitude e da conquista[2].

O DEUS DO ARCANO ✦ *O Carro* faz alusão aos bravos deuses da velocidade, das invenções e das competições. Sendo assim, Ares, o senhor da guerra, é uma das divindades frequentemente associadas a esta carta. Sua postura obstinada e muitas vezes agressiva converge com a ansiedade, a truculência e a pressa que por vezes *O Carro* representa. Impetuoso e invencível, Ares é a força que devemos aprender a medir e a controlar.

MAGIA ✦ Para desenvolver maior coragem e desenvoltura diante das pessoas e das circunstâncias, coloque o arcano *O Carro* em seu altar ou em algum lugar em que possa vê-lo com frequência. Essa imagem é magnética porque denota força, movimento e rapidez. Use-a em rituais para acelerar processos atrasados, resolver pendências passadas, apressar decisões e seguir em frente. *O Carro* é essencial quando algo ou tudo em sua vida parecer devagar ou quase parando.

---

[2] *O Carro* é o arcano regente de 2023. Confira todas as tendências e as influências do tarô na sua vida no *Almanaque do Pensamento 2023*.

O EREMITA

Palavras-chave: silêncio, introspecção, experiência, sabedoria

O velho sábio, o grande bruxo da floresta encantada. São muitos os títulos do arcano *O Eremita*, por excelência uma representação da sabedoria, do distanciamento, da solidão e do silêncio. Ele simboliza tanto a voz da experiência quanto a recusa de ser parte de um sistema, preferindo viver em exílio e tendo mínimo contato com o mundo convencional. *O Eremita* é um alto estágio de maturidade e de desapego, e nos ensina que o essencial é quem somos e quem nos tornamos ao longo da jornada.

O DEUS DO ARCANO ✦ Em vários tarôs antigos, *O Eremita* é a representado pelo deus Cronos, o senhor do tempo. Alguns estudiosos alegam que a ampulheta trazida em suas mãos foi se transformando no lampião que hoje vemos na maioria dos baralhos. Como a maioria dos deuses anciãos, tem seus papéis bem definidos na manutenção das estações, que vigoram e fenecem ininterruptamente, sendo ele o ceifador e também o propiciador da fertilidade.

MAGIA ✦ Traga *O Eremita* a rituais para ter maior compreensão sobre o tempo que nunca cessa de passar e as limitações da vida mortal. A carta é excelente em feitiços para atrair um mestre, guia ou conselheiro, promover o desapego de tudo o que não é útil ao seu amadurecimento e desenvolver mais paciência em relação às pessoas e às circunstâncias. *O Eremita* também proporciona um trabalho gradativo com ancestralidade e favorece a meditação. Use-o em feitiços para fechar feridas antigas e resolver problemas do passado.

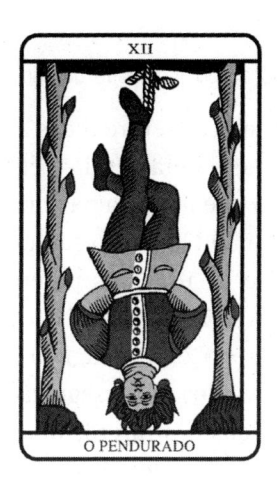

O PENDURADO

Palavras-chave: suspensão, desapego, iniciação, sacrifício

Um homem de cabeça para baixo pode estar pagando uma promessa ou sendo punido por seus crimes. Esse é *O Pendurado*, chamado tanto de O Traidor em baralhos muito antigos como de O Iluminado nos mais modernos. Ele simboliza os sacrifícios impostos, as penalidades assumidas e também a suspensão necessária em certos momentos da vida: às vezes, não fazer nada é fazer muito. E quando tudo parece parado e sem sentido, *O Pendurado* nos incita a refletir sobre nossas atitudes e a aprender com nossos erros.

O DEUS DO ARCANO ✦ Os deuses sacrificados estão sob a égide do arcano *O Pendurado*. Um dos mais frequentemente associados à carta é Odin, o senhor supremo dos vikings e mestre da magia. Conta-se que ele próprio se amarrou em Yggdrasil, a Árvore do Mundo, para se fazer digno de merecer a sabedoria do alfabeto sagrado das Runas. Para tanto, ele sacrifica seu olho direito e, depois de nove dias e nove noites de muito esforço, alcança as letras mágicas.

MAGIA ✦ *O Pendurado* em rituais e feitiços pode até causar estranhamento, mas é importante considerá-lo para atrasar ou suspender o tempo, ou então segurar as pontas de alguma situação até você tenha forças para lidar com ela. Aplique-o em meditações ou jornadas interiores que demandam muito empenho, já que *O Pendurado* concede paciência e resignação para aturar situações difíceis. Para levar paz aos antepassados, doentes ou aflitos, este arcano também é o mais adequado.

O DIABO

Palavras-chave: obsessão, apego, fertilidade, desafio

Ainda que este arcano concentre todas as implicações negativas e nefastas das religiões dominantes, o que importa na perspectiva mágica é que O Diabo é o senhor do poder material e de todos os potenciais criativos. Na Wicca, o conceito de diabo nem existe: todo esse imaginário grotesco é fruto de séculos de perseguição e deturpação do Deus Cornífero, o senhor da fertilidade. Sendo assim, *O Diabo* é a carta que merece estudo aprofundado e associações com divindades ligadas ao que é tangível, carnal e profundo.

O DEUS DO ARCANO ✦ Historicamente, vários deuses foram associados a arcano, como Tifão, Baphomet e Plutão. Mas Cernunnos, o consorte da Grande Mãe, pode muito bem dar lugar à figura maléfica do imaginário cristão: ele é quem rege os instintos, a força da vida e a abundância. São muitas as faces e os nomes do deus das bruxas, mas todos muito mais relevantes do que a ideia e a imagem de um monstro devorador de pecados. Cernunnos é quem nos desperta para a responsabilidade de administrar nossas próprias forças.

MAGIA ✦ O arcano *O Diabo* pode ser convocado em rituais ou feitiços para atrair poder aquisitivo, aumentar a sensualidade e suscitar mudanças a nível físico. É ideal para garantir proteção contra energias contrárias e para banir situações de violência, perigos iminentes e até mesmo fofoca. Para aprimorar sua intuição e assertividade e não se deixar manipular ou dominar por pessoas mal-intencionadas, *O Diabo* também é excelente.

A CASA DE DEUS

Palavras-chave: choque, mudança, destruição, surpresas

Nada fica no lugar com *A Casa de Deus*. Dentre os símbolos deste arcano, a própria torre se destaca pelo formato fálico, muitas vezes associado à petulância do homem em querer chegar até Deus (o céu) através daquilo que constrói com as próprias mãos. *A Casa de Deus* segue como referência às convicções que devem cair por terra e como sinal de surpresas, mudanças e movimentos bruscos que podem nos fazer voltar à estaca zero. Só depois de várias quedas é que aprendemos a nos reerguer mais fortes.

O DEUS DO ARCANO ✦ Deuses ligados às mais altas forças celestes podem ser associados ao arcano *A Casa de Deus*. Dentre eles, destaca-se Thor, o deus do céu e do trovão, que alude aos raios e ao fogo que atingem a edificação. Sua força descomunal era louvada pelos povos nórdicos, pedindo ao filho de Odin para que quebrasse com seu martelo o gelo dos invernos mais rigorosos. Tremores, clarões e estrondos são consideradas manifestações de Thor, o deus mais amado e temido depois de seu próprio pai.

MAGIA ✦ Assente *A Casa de Deus* em seu altar para garantir o rompimento ou o banimento de relações abusivas, influências nocivas e vínculos saturados. Ela serve para incitar mudanças drásticas, atenuar perturbações e distúrbios e implodir situações caóticas. Este é um arcano de quebra, ruptura e desmonte, por isso é preciso extrema atenção ao aplicá-lo em rituais ou feitiços: a tendência é que tudo o que for afastado ou derrubado com *A Casa de Deus* não seja mais remediado ou recuperado.

O SOL

Palavras-chave: beleza, sucesso, vitalidade, lucidez

De longe, a carta de tarô favorita da maioria das pessoas é *O Sol*, que simboliza felicidade, satisfação e maravilhamento. Além desses atributos, é um arcano de lucidez e transparência, já que traz clareza em relação a situações e pessoas. *O Sol* é um momento de encontro, de reconhecimento e de júbilo: a partir dele podemos encarar a realidade de modo sereno, consciente e até otimista.

O DEUS DO ARCANO ✦ Todos os deuses solares, da inspiração e da luz podem ser associados ao arcano *O Sol*. Um dos mais óbvios é Apolo, deus da poesia e da beleza, regente das artes e pai das profecias. A inspiração e também o temor que Apolo suscita faz dele um dos maiores poderosos do Olimpo, propiciando tanto o louvor apaixonado dos devotos quanto o medo de serem alvos de sua ira. Além de ser o deus da harmonia, da razão e do equilíbrio, Apolo é o patrono dos oráculos.

MAGIA ✦ Um dos arcanos mais versáteis para se usar em magia, *O Sol* é uma poderosa representação do próprio astro. Em seu altar, ele pode atrair luz, harmonia e boas vibrações. Use-o em feitiços para inspirar vitalidade, abrir os caminhos e fortalecer vínculos afetivos. É uma carta de liberdade, amor e jovialidade, e confere ânimo e determinação para resolver problemas. É a carta mais adequada em qualquer ritual ou encantamento para suscitar riqueza, força de vontade, proteção, cura e consciência.

O JULGAMENTO

Palavras-chave: renovação, abertura, decisão, novidades

Quando se ouve o chamado, tudo muda. *O Julgamento* é o arcano do renascimento, da iniciação e dos novos caminhos. Para que a vida se abra a uma nova fase, é preciso haver o confronto com tudo o que precisa ser destruído, varrido e repensado. É por isso que esta carta é uma verdadeira convocação para encarar e administrar posturas, lidar com determinadas circunstâncias e assumir responsabilidades. *O Julgamento* é o anúncio em voz alta de um tempo de grandes e importantes mudanças.

O DEUS DO ARCANO ✦ Divindades que destronam seus pais e inauguram uma nova era podem ser associados a esta carta. Hórus, deus egípcio da luz e do poder. Ele é o intermediário entre os reinos espirituais e os terrenos e comumente associado ao arcano *O Julgamento* pela maioria dos magistas. Hórus é o senhor da força e do fogo que, ao assumir o trono, destrói espiritualmente o velho mundo pelas chamas, dando início a um tempo de renovação e verdade.

MAGIA ✦ *O Julgamento* é um arcano mágico para suscitar mudanças profundas. Ele "chama" oportunidades, novas chances e um novo tempo, já que convoca as vozes superiores para agir em nosso favor. Use-o em rituais para mudar os rumos da sua vida e adaptar-se a novas realidades (um novo emprego, nova casa ou cidade). Tem eficácia em feitiços e encantamentos para inspirar criatividade, propósito de vida e dedicação à vida espiritual. Para obter um veredito a seu favor em processos ou de fato ganhar uma causa, *O Julgamento* é a carta mais adequada.

O LOUCO

Palavras-chave: imprevisibilidade, alegria, caos, êxtase

O arcano sem número é o aventureiro do tarô, aquele que não se prende a nada a ninguém. Ainda que represente o buscador, com o mundo à sua disposição, *O Louco* também encarna a inconsequência, as posturas desmedidas e a incerteza de tudo ao nosso redor. Ele está exposto e disposto a tudo. Bem por isso, também é o guardião de todos os segredos da existência. É o seu ímpeto que faz da vida uma jornada única e significativa.

O DEUS DO ARCANO ✦ Os deuses associados à loucura, ao êxtase e aos mistérios do nascimento, morte e recomeço podem ser vislumbrados no arcano *O Louco*. Um exemplo claro é Dionísio, o espírito indomável, senhor absoluto das orgias e regente dos exageros, patrono dos atores e das grandes celebrações regadas a vinho, sua bebida sagrada. Dionísio nos dá o êxtase e a alegria. É o deus das desmedidas e das inconsequências.

MAGIA ✦ Se você quer desenvolver espontaneidade, inspiração e coragem, *O Louco* é o arcano mais adequado. Use-o em rituais para desapegar-se de alguém ou de algo, recomeçar, redescobrir a alegria e deixar para trás o que não tem mais lugar ou importância. *O Louco* é um dos mais poderosos arcanos para se aplicar em magia, por isso todo cuidado é pouco, já que ele representa a incerteza, a mudança repentina de planos, pensamentos e atitudes.

— Leo Chioda é escritor e um dos principais tarólogos em atividade no Brasil. Administra as redes sociais do CAFÉ TAROT e é o especialista em Tarô do Personare, o maior portal brasileiro de autoconhecimento e bem-viver.
Site: www.personare.com.br/tarot
Blog: www.cafetarot.com.br
Instagram: @cafetarot

Os Sete Poderes da Deusa

> *"Ela é luz – Uma sem um outro; e, mesmo assim,
> Ela aparece dividida para Suas próprias criaturas,
> por causa do véu da ilusão."*
> – Tripura Rahasya

A Deusa se manifesta em nossa vida de muitas formas e de diversas maneiras. Ela mostra a natureza da sua divindade em nossos corpos e nas nossas emoções, virtudes e capacidades. Seus vários poderes governam diferentes áreas da nossa existência. Ao serem acessados, eles podem se desenvolver a ponto de modificar por inteiro nosso corpo físico, mental e outros mais sutis, e isso pode mudar completamente a forma como nos relacionamos com o mundo.

Ao nos conectarmos com os poderes da Deusa, ela passa a nos guiar, para que possamos expressar de modo mais pleno o nosso ser, livre de condicionamentos, regras sociais impostas e padrões preestabelecidos, que foram absorvidos, herdados e aprendidos, e nos aprisionam na lógica patriarcal.

Com isso, podemos encontrar o caminho da realização do propósito que viemos expressar nesta existência. Aos poucos, passamos a viver conscientes de que somos parte da Essência Divina e que ela permeia nosso corpo, nossa mente, nossas emoções e toda a nossa história, mas também transcende tudo isso.

A manifestação da consciência da Deusa no ser humano ocorre de diversas maneiras, mas podemos olhá-la pela perspectiva dos seus sete poderes, correlacionados com os sete principais chakras, os centros energéticos do nosso corpo etérico. Esses chakras também estão ligados a divindades femininas que carregam em si virtudes sagradas que correspondem a cada um deles.

Para mim, a conexão com o Divino Feminino sempre esteve presente de forma muito intensa, e desde muito cedo. Fui criada numa casa com três mulheres e sou filha de uma mulher sábia. Pela linhagem materna, sou bisneta de uma índia e de uma parteira. Essa sabedoria, embora velada, já corria nas minhas veias, mas só a descobri de forma consciente depois de muitos anos de jornada pelo Feminino Sagrado. Nessa jornada, a Deusa foi abrindo na minha vida caminhos completamente inesperados e surpreendentes, e desde então já se passaram dezoito anos, durante os quais venho constantemente trabalhando em mim mesma e com milhares de mulheres, seja recebendo os saberes da Deusa em forma de conhecimento para as mulheres, ou canalizando-os em práticas sagradas de autoconhecimento e autocura.

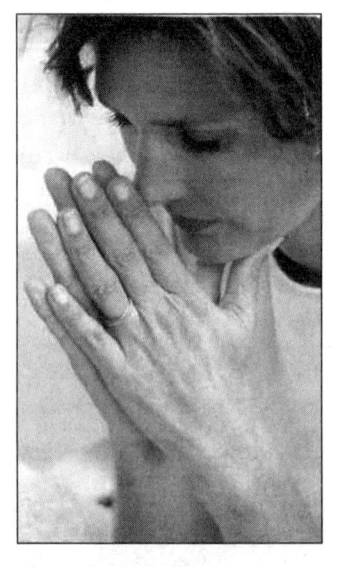

Desde 2003, facilitei centenas de cursos e retiros, e integrei o processo de meditação, autocura e autoconhecimento em todos esses anos, numa metodologia nomeada Cura do Feminino®, num programa de nove semanas chamado "Os Chakras e o Feminino

– caminhos de Cura e Realização da Mulher". Tive a honra de escrever um artigo pela Universidade Anhembi Morumbi que avaliava os resultados de duas centenas de mulheres que fizeram o programa, e sou muito grata pela benção de ver os Poderes da Deusa guiando e manifestando mulheres maravilhosas na minha vida. Na atualidade, já são mais de 15 mil mulheres de 32 países, sendo 6.500 presenciais, que tiveram oportunidade de conhecer o meu trabalho. Foram muitas oportunidades de aprender com pessoas incríveis, uma verdadeira dádiva para quem se dispõe a servir!

Os sete poderes da Deusa, os chakras e as divindades femininas

Quais são os poderes da Deusa? Como eu disse, a manifestação da Deusa se dá de muitas maneiras e podemos compreender mais sobre ela analisando seus sete poderes, relacionados com os sete principais chakras. A Deusa sem forma, como ser, energia, fonte criadora, revela-se nas diferentes deidades, que expressam e simbolizam as forças arquetípicas da vida. No complexo corpo-mente-espírito, ela se mostra nas dimensões materiais da existência: órgãos e partes do corpo, emoções, virtudes, e todas as áreas da vida. Em poucas palavras, podemos descrever esses poderes como mostramos a seguir. Como exemplo, vou usar, para cada poder, divindades hindus, mas podemos encontrar correlações entre as deusas, os poderes e os chakras nos panteões de todas as culturas.

O Poder da Terra

Este poder se relaciona com o primeiro chakra, localizado na base da coluna, que nos traz as virtudes da força, da segurança e das capacidades de sobreviver, de conhecer seu lugar no mundo e de se sentir parte do todo. Ele pode ser associado à deusa Kali, deusa da morte e do renascimento, que com sua espada, língua de fora, crânios pendurados no colar e sangue saindo pela boca, espelha vários dos nossos aspectos sombrios que reprimimos e em geral negamos. Ela traz a força para deixar morrer o que não é mais necessário e abrir espaço para a nova vida. Essa deusa desperta em nós o lado selvagem e instintivo da Terra, e, quando nos permitimos acessá-lo, podemos também despertar a força inimaginável que há em nós e a capacidade de acabar com os medos que bloqueiam os nossos caminhos e nos impedem de ser plenas no mundo. Essa força se relaciona com o kundalini, energia criadora que todas as pessoas têm no primeiro chakra. Para ativar esse poder em nosso corpo para ter raízes fortes, precisamos acabar com as ilusões dos programas e padrões que absorvemos com o ego. Kali surge de forma selvagem, para cortar a cabeça do ego e nos livrar das divagações mentais autodestrutivas e depreciativas que impedem nossa autoaceitação e nos permitem amar quem somos em essência, na nossa vida na Terra. ***Afirmações:*** "Eu sou a vida em movimento, em constante morte e renascimento. Sou força e segurança. A impermanência é um presente da vida que aceito com coragem e tranquilidade".

O Poder da Água

Este poder se relaciona com o segundo chakra, localizado sobre o útero nas mulheres e sobre a próstata nos homens. Ele nos traz as virtudes do prazer, da flexibilidade, da beleza, da criatividade e da capacidade de sentir, fluir e se conectar com o outro e desfrutar das dádivas que a vida nos traz. A deusa correspondente a esse poder é Parvati, deusa do amor e da fertilidade, esposa de Shiva, detentora de beleza, doçura, fertilidade e sensualidade. Ela nos mostra a beleza de dentro e de fora, para nós e para o ambiente; cria harmonia e ativa a nossa sensualidade sagrada. Quando necessitamos dessas virtudes, podemos nos conectar com ela, para fertilizar a nossa vida e usufruir mais do que ela pode nos oferecer. Parvati nos ajuda a desenvolver a nossa capacidade de desfrutar do prazer conosco e com quem nos relacionamos. Ela também pode estimular a nossa criatividade, para expressarmos no mundo ideias transformadoras que gerem mais vida. A energia da fertilidade é a mesma, a sexual, e ela se manifesta em diferentes maneiras. **Afirmações**: "Eu sinto com plenitude e abertura. A vida é bela e o prazer é sagrado. Sentir e gozar a vida é um presente do qual me permito usufruir".

O Poder do Fogo

Este poder se relaciona com o terceiro chakra, que fica três dedos abaixo do umbigo. Ele nos traz as virtudes do brilho, do magnetismo, da prosperidade, da manifestação e das capacidades de se projetar no mundo e de expandir, liderar e transformar ideias em realidade. Está relacionado a Lakshmi, esposa de Vishnu, uma deusa da abundância e das riquezas materiais, retratada vestida e coberta de joias sobre uma flor de lótus e com quatro braços, que simbolizam os objetivos da vida. Duas mãos seguram, cada uma delas, uma flor de lótus; da terceira jorram moedas e a quarta está na posição da mudra Abhaya. Essa deusa expressa a capacidade de manifestar prosperidade em todos níveis, independentemente das nossas origens. Somos irmãs e irmãos da mesma Mãe Divina e podemos invocá-la para nos ajudar a ativar as capacidades ligadas às virtudes da manifestação de Lakshmi. *Afirmações*: "Eu posso e consigo! Sou o poder em ação e manifestação. Sei impor limites para realizar o que realmente importa. Digo os nãos necessários para viver os sims radiantes que a vida me traz. Mereço e vivo uma vida próspera".

O Poder do Ar

Este poder se relaciona com o quarto chakra, que se localiza no meio do peito e detém as virtudes do amor, da compaixão e da empatia, e as capacidades de unir, equilibrar e libertar. Ele está relacionado a Radha, a deusa do amor, companheira de Krishna, que representa a mais alta manifestação do amor incondicional e da união entre as energias feminina e masculina, o casamento sagrado dentro de nós, a união que tanto buscamos lá fora. Ela nos ajuda a sair da carência de procurar no outro a complementaridade e a despertar para a consciência de que somos seres inteiros. Partir para maturidade da troca consciente, perceber que ninguém me completa e de que o Amor que busco é aquele que se encontra em mim mesma no momento presente e é pleno e incondicional são algumas das dádivas de Radha. O Amor Supremo nos liberta. Dessa maneira, a união com o outro se torna uma partilha e transborda de amor e plenitude, sentimentos que já existem dentro de nós. Ela nos traz o despertar do toque devocional que nutre todas as nossas células e abre o nosso coração para que possamos nos relacionar com o Divino que há em nós, no outro e na vida, como uma dança das polaridades que se alternam para a realização da unidade. **Afirmações**: "Eu amo e sou Amor. A vida é Amor. Aceito, acolho, honro, reverencio e amo o que passou, o que está, o que virá. Sou grata em todas as minhas células pela vida e me sinto amada por ela. Em mim há o casamento sagrado".

O Poder do Éter

Este poder se relaciona com o quinto chakra, que se localiza na garganta e oferece as virtudes do som, da pureza, do espaço, da palavra, e as capacidades de comunicar, expressar e criar arte. Podemos estabelecer uma correspondência com Saraswati, deusa da sabedoria, das artes e da música, esposa de Brahma. Ela é representada vestida de branco e com quatro braços, dois ligados ao espiritual e dois ao material, sentada numa flor de lótus e acompanhada de um cisne branco. Ela segura a Vina, seu instrumento, um livro, um pote de água e um japamala. Cada um desses itens é um símbolo do que ela traz. Seu instrumento é uma alegoria do nosso poder da arte, em todas as formas de expressão criativa, e de transformar a vida com os sons, com o poder da palavra e da criatividade. As escrituras sagradas de quase todos os povos nos mostram o nosso poder de usar as palavras para manifestar a sabedoria sagrada invisível e a importância de nos conectarmos aos saberes que nutrem nossa espiritualidade. O japamala traz a importância da introspecção e da meditação. A cor branca e também o pote de água mostram a força para purificar os programas e limites da mente concreta, que nos impedem de ser um instrumento para a sabedoria divina da Deusa, para *Ser* e *Criar* de forma fluída e livre nesta existência terrena na qual nos encontramos. ***Afirmações***: "Eu comunico e expresso com clareza. A verdade flui livremente em mim com liberdade, espontaneidade e criatividade".

O Poder da Consciência

Este poder se relaciona com o sexto chakra, que se localiza no centro da cabeça, na altura do ponto entre as sobrancelhas, e nos apresenta as virtudes da visão espiritual, da mente superior, que vai além das programações sociais nas quais a mente concreta está envolvida. Ele está ligado ao despertar da consciência superior e da intuição, e ao cumprimento do propósito supremo desta vida. Corresponde a Gayatri, deusa da Sabedoria, que dissipa a ignorância, ilumina a escuridão e nos guia para o conhecimento completo de quem somos e do que a vida verdadeiramente é. Ela traz as curas, integrações, visões e libertações que vem do despertar da consciência de que não somos o corpo físico, apenas o habitamos; somos, na verdade, o Infinito Poder Criador da Vida, e portanto podemos viver plenamente todas as suas facetas. ***Afirmações***: "Eu vejo a Vida em todas as instâncias, níveis e camadas. Sem apego e controle, permito que a Vida me mostre, guie e oriente para que eu atinja a libertação de todas ilusões e limitações, o propósito supremo da vida".

O Poder da Luz

Este poder se relaciona com o sétimo chakra, localizado no topo da cabeça, que nos traz as virtudes do silêncio, do desapego e da entrega, e as capacidades para a atingir a unidade, o saber pleno, a realização da essência eterna que somos, a dissolução do eu individual na Essência Universal Divina. Ele está ligado à deusa Devi, que integra todas outras e não tem forma nem atributos específicos, mas abrange todos eles, além de ter o poder de se manifestar como todas outras deusas. Ela traz a força para acessarmos a essência de todas formas e, assim, o poder criador e a capacidade de desapegar dos desejos específicos da mente, para desfrutar de tudo que a vida traz como presente. Podemos chamá-la para nos ajudar a enfrentar as dificuldades dos ciclos de morte e renascimento. Na vida diária, Devi propicia o silêncio interior e a liberação dos apegos e resistências do ego, que nos impedem de viver o todo que somos em espírito. **Afirmações**: "Eu sou livre para Ser. A vida acontece através de mim e sou una com ela. Desapego, entrego e deixo ir. Sou cuidada pelo Universo. Sou una com tudo, infinita e eterna".

Como podemos perceber, esta vida e este corpo são apenas uma manifestação da Deusa Infinita, que existe em tudo. Não estamos separados, isolados, mas somos parte do Todo, e principalmente somos o todo na parte. E ninguém é especial. Precisamos só sair da ilusão de que somos uma pequena parte separada. A chave que abre e revela todos os presentes da vida é a *presença*! Estamos neste corpo material e somos também a Deusa presente em essência. Sejamos, então, e vivamos todos os poderes da Deusa, de estarmos vivos, presentes, aqui e agora, onde a felicidade e o amor estão. A presença espiritual da Vida a cada instante é o maior presente que podemos ter, e ela traz para nós todas as realizações que nos são possíveis na condição humana, nesta pequena dimensão temporal no Infinito da Existência Cósmica, a qual verdadeiramente pertencemos.

Om Tat Sat

– **Gabriele Sridevi**, naturóloga, professora de Kundalini Yoga, facilitadora de círculos, cursos, retiros e consultas para a saúde integral da mulher e aprofundamento da espiritualidade no dia a dia. Ela canaliza seu trabalho nos programas da Cura do Feminino, uma metodologia de autocura com meditação e autoconhecimentos para mulheres.
Instagram: @curadofeminino.
Sites: www.clubedacuradofeminino.com.br e
www.curadofeminino.com.

Proteção Mágica para a Porta de Entrada

No sentido literal, a soleira é a tira de madeira, metal ou tijolo que forma uma barreira protetora na parte inferior de uma porta externa, especialmente a porta da frente. Anos atrás, quando muitas pessoas viviam em fazendas e a porta da frente ficava perto do curral, a soleira servia para impedir a entrada de restos de grãos (debulha), poeira, sujeira e ar frio. Aos poucos, em culturas ao redor do mundo, a soleira assumiu um significado especial e mágico. Sendo o ponto de entrada da maioria das casas, a soleira tornou-se uma área mágica que servia para impedir a entrada de forças negativas e espíritos malignos. Ao mesmo tempo, acreditava-se que era o lugar onde a sorte poderia ser atraída para o lar. Os gregos antigos, por exemplo, selecionavam uma deusa ou deus favorito para proteger as portas externas. Como sinal de agradecimento, eles deixavam pequenos presentes em cada entrada para a divindade escolhida.

Com o tempo, toda a área de entrada de uma casa começou a ser associada à magia. Pensava-se que a porta da frente, a varanda, as janelas e os degraus que levavam à entrada atraíam energias mágicas – boas e más. Diferentes culturas logo começaram a desenvolver suas próprias tradições de magia popular sobre como manter as energias negativas afastadas enquanto atraía energias positivas para dentro de casa.

Aqui vão algumas ideias para você proteger a porta de entrada da sua casa e transformá-la num refúgio acolhedor e seguro.

Por tradição, acredita-se que a cor azul bloqueia a entrada de energias negativas. Mas por que o azul é considerado a cor número um para proteger a entrada de uma casa? Como o azul está associado aos céus, é possível que se pense que o azul possui poderes de cura e proteção. Além disso, há muito se pensa que o azul protege contra o mau-olhado. Ainda hoje no sul dos Estados Unidos, às vezes você vê os tetos das varandas da frente pintados de um lindo azul pálido. Esse azul é conhecido como "haint blue". *Haint*, uma palavra de origem incerta, é um espírito maligno. A crença é que os *haints* seriam atraídos para o teto azul e pensariam que era o céu, depois continuariam subindo para longe da casa, em vez de entrar. Certa vez, enquanto eu viajava pelas montanhas do Marrocos, cheguei a uma vila onde a maioria das portas da frente era pintada de azul-royal. Disseram-me que o azul "rebatia" o mau-olhado. Para muitos de nós, não é prático pintar a porta da frente e outras áreas de azul. Mas existem outras maneiras de usar essa cor mágica perto da porta para proteger sua casa. Por exemplo, adicione uma fita azul a uma guirlanda na porta da frente. Ou você também pode pintar alguns vasos de flores de azul.

Plantas que são uma barreira protetora

As plantas não servem apenas para enfeitar. Plantas, ervas e flores também podem servir como uma barreira entre a sua casa e a energia negativa do mundo exterior. Aqui estão algumas plantas com vibrações altamente protetoras perfeitas para esse fim.

Vamos começar com algumas plantas que podem ser cultivadas em vasos e colocadas ao lado da porta da frente. A samambaia é uma das plantas mais fáceis e mágicas que você pode cultivar. Sua vegetação exuberante traz uma sensação de calma e sua folhagem tem fortes vibrações protetoras. Ela guarda a casa contra todo mal. Os alegres gerânios são outra planta protetora que pode ser cultivada em vasos e colocada ao lado da porta. Os gerânios vermelhos são muito protetores. Do lado de fora da casa, eles repelem a maior parte da negatividade. Os gerânios cor-de-rosa atraem amizade e os brancos são calmantes. Para uma magia rápida, esfregue a folha de um gerânio na maçaneta da porta para proteger a casa de qualquer mal. Uma outra planta que oferece qualidades mágicas excepcionais é o amor-perfeito. Conhecidos por atrair amor e amizade, os amores-perfeitos gostam do tempo frio e também prosperam na primavera e no outono, quando outras plantas podem morrer.

Agora vamos dar uma olhada em algumas plantas que podem ser cultivadas numa floreira ou num jardim perto da entrada da sua casa. A peônia é uma das plantas mágicas mais poderosas para se deixar perto da porta. Ela tem sido usada na medicina e na magia desde tempos antigos. Plantada perto da soleira, a peônia protege contra os maus espíritos. Essa planta foi até usada em exorcismos. Num arranjo de vasos, as peônias também protegem o interior da casa.

Se você quiser manter o mau-olhado, os espíritos negativos e os visitantes indesejados longe de casa, plante alguns bulbos de lírio. Essas flores altivas não apenas trarão proteção à sua porta, mas também adicionarão charme. Como bônus, suas flores em forma de trombeta são um ímã para os beija-flores. E não podemos nos esquecer das rosas que também são muito protetoras quando plantadas perto da entrada de uma casa. Elas ajudam a evitar que a negatividade entre em qualquer habitação. Basta espalhar algumas pétalas de rosa perto da soleira e isso aliviará as tensões domésticas. Elas também neutralizarão qualquer energia negativa deixada por um visitante desagradável que tenha acabado de sair.

Feitiço da soleira mágica

Há gerações, feitiços e encantos são usados para proteger a entrada das residências. Para o feitiço a seguir, você precisará de sal, gotas de suco de limão ou vinagre e um dente de alho esmagado.

Comece por espalhar um pouco de sal ao longo da soleira da sua porta. Num pires, misture sal, suco de limão ou vinagre, e um dente de alho esmagado. Enterre o alho num vaso que fique perto da porta da frente. Em seguida, com uma vassoura, varra o sal que você espalhou ao longo da soleira. Continue varrendo o sal através da varanda ou degraus, se houver. Ao varrer, repita este feitiço:

> *Espíritos sombrios, isto é um aviso, nunca atravessem este limiar que eu piso.*

Repita este feitiço uma vez por ano, ou mais, se achar necessário. Seja qual for o método de proteção, tratar a porta da frente da sua casa como um espaço mágico protegerá sua casa e sua família.

– Extraído e adaptado de *How to Create a Magical Threshold,* de James Kambos, *Llewellyn's 2022 Magical Almanac.*

Saber como aterrar sua energia adequadamente é uma habilidade inestimável, que ajudará a promover uma sensação maior de bem-estar e ajudar na prática da sua Arte. Sente-se confortavelmente e visualize uma luz branca preenchendo o núcleo do seu corpo. Deixe essa luz fluir em direção ao solo até encontrar a energia da Terra. Para ajudar, veja sua própria energia com uma cor diferente. Visualize a energia da Terra subindo e preenchendo todo o seu corpo e visualize sua própria energia se misturando com ela. Se você se sentir esgotada, pode puxar mais energia da Terra para dentro do seu corpo e usá-la para recarregar suas baterias e se reequilibrar.

Ritual Moderno para Honrar Dionísio

Reúna todos os instrumentos de que você precisa antes de iniciar seu ritual. Os itens para o altar podem incluir velas para os quadrantes, uvas, videiras, pinhas e um recipiente com água. Inclua também um pouco de suco de uva ou vinho e bolachas ou bolos para dar de oferenda mais tarde no ritual. Você talvez queira ter por perto um caderno ou seu Livro das Sombras para registrar por escrito suas experiências após o ritual. Você também pode querer um tambor ou a gravação de um toque de tambor que possa ouvir durante o ritual.

O ritual deve começar perto do anoitecer e se estender até a noite, pois Dionísio gosta de alegria e uma atmosfera festiva. Adicionar algumas lanternas ao redor da área do ritual também aumentaria essa atmosfera.

Este ritual pode ser feito sozinho ou com outras pessoas. Pode ser feito dentro de casa ou ao ar livre, se o clima permitir. Você deve se certificar de que tem bastante espaço para se mover dentro do círculo, pois estará se movendo ao som do tambor ou da música que escolheu para esse ritual.

Prepare seu espaço ritual e faça uma limpeza. Há uma variedade de maneiras de limpar a área e você pode usar qualquer uma que funcione melhor para você. Uma sugestão que funciona bem e é apropriada para este ritual é o uso de uma videira para aspergir água abençoada ou carregada de energia. Também é uma alternativa adequada se você não puder usar algo como sálvia por causa de uma alergia, e é o que usaremos neste ritual.

Para começar, configure a área do altar. Coloque as velas dos quadrantes em suas direções correspondentes. Coloque seu caderno ou Livro das Sombras no altar também. Coloque sua água perto das videiras para ficar ao alcance da mão. Você pode incluir itens decorativos como cachos de uvas ou uma pequena guirlanda. Você também pode incluir pinhas, pois elas lembram uma varinha de tirso, que é feita com um talo de erva-doce e uma pinha.

Abençoe a água antes de começar. Segure o recipiente com água entre as mãos e feche os olhos. Sinta a energia se acumular dentro de você e, à medida que a sente, diga:

> *Água é vida.*
> *Dela vem todas as coisas.*
> *Que a energia interior*
> *sustente e limpe.*
> *Seja abençoada!*

Lance seu círculo mágico, evocando cada quadrante. À medida que você se move para cada quadrante, pegue o feixe de videira, mergulhe-o na água abençoada e polvilhe a água para criar o círculo.

Evocação dos quadrantes

Norte: *Eu invoco os poderes do Norte, os guardiões da Terra. Abençoe-me com suas influências fundamentais à medida que comungo com o deus. Sejam bem-vindos ao meu círculo!*

Leste: *Eu invoco os poderes do Leste, os guardiões do Ar. Abençoe-me com o vento em nossos cabelos enquanto dançamos em êxtase. Sejam bem-vindos ao meu círculo!*

Sul: *Eu invoco os poderes do Sul, os guardiões do Fogo. Abençoe-me com calor enquanto danço com a divindade. Sejam bem-vindos ao meu círculo!*

Oeste: *Eu invoco os poderes do Oeste, os guardiões da Água. Abençoe-me com águas frescas para arrefecer nossas emoções. Sejam bem-vindos ao meu círculo!*

Invocação

Coloque sua música ritual para tocar neste momento, seja tocando tambor para entrar no estado de espírito certo ou a gravação de um toque de tambor ou alguma outra música que agrade você. Agora é a hora de evocar diretamente a Dionísio e pedir a ele que ilumine você com uma experiência espiritual extática. Você tentará entrar num estado de transe para que possa ser receptivo ao que Dionísio quer compartilhar com você.

Pegue sua taça de vinho ou suco e tome um gole. Dionísio é o deus do vinho e você o está levando para dentro de você para que ele possa lhe proporcionar uma "loucura ritual", ou uma maneira diferente de ver as coisas. Diga:

Enquanto eu bebo de você, Dionísio, conceda-me o prazer da sua presença, para que eu possa me entregar às emoções. Deixe minha mente e meu corpo livres para receber suas mensagens neste dia.

Deixe de lado a sua taça. Levante-se e movimente-se. Sinta o ritmo dentro de você. Entregue-se à música e sinta o peso do dia saindo dos seus ombros enquanto você se solta. Continue a se movimentar e saiba que os elementos e Dionísio estão aí dançando com você. Abra-se para as mensagens enquanto dança de alegria. Continue a fazer isso até precisar descansar e, em seguida, deite-se no chão para se recuperar antes de continuar. Fique atento ao que você está vendo e sentindo. Você pode querer observar essas coisas depois de sair do transe, pois nem todas as mensagens oferecidas pela divindade são imediatamente claras.

Bolos e vinho

Este é um momento para renovar suas forças com a dança, o êxtase e o transe, e reconhecer seu convidado de honra. Você deve pegar um pouco do biscoito ou do bolo e deixá-lo cair no chão próximo ao altar ou, se estiver dentro de casa, num prato, para depois levá-lo para fora, dizendo:

Dionísio, obrigado pela sua presença. Sua percepção tem sido uma bênção.

Em seguida, pegue um pouco do vinho ou suco e despeje a bebida no chão ou no prato, dizendo:

Este elixir me deu insights e visões que me sustentarão. Obrigado, Dionísio.

Depois se sirva dos bolos e do vinho. Leve o tempo que precisar para se revigorar e absorver o que descobriu durante o transe, antes de fechar o círculo. Esse é um excelente momento para fazer anotações sobre suas observações durante o ritual.

Dispensa dos quadrantes

Oeste: *Poderes do Oeste, agradeço pelo seu tempo e por suavizar minhas emoções, mantendo-as sob controle. Salve e adeus!*

Sul: *Poderes do Sul, agradeço pelo seu tempo e seu calor sutil, enquanto comungávamos. Salve e adeus!*

Leste: *Poderes do Leste, agradeço pelo seu tempo e seus ventos suaves, que dançaram comigo. Salve e adeus!*

Norte: *Poderes do Norte, agradeço pelo seu tempo e sua força para me manter em pé e aterrado. Salve e adeus!*

Fechamento do Círculo

Reserve um momento para contemplar o ritual e as visões que Dionísio lhe proporcionou. Reserve um minuto para agradecer novamente a ele e a todos que se reuniram com você. Finalize dizendo:

O círculo está agora aberto.
Salve e adeus a todos vocês!

Conclusão

Como buscadores espirituais, sempre esperamos aprofundar nossa consciência ou conexão com o Divino. Trabalhar com qualquer divindade exige certa confiança. Quando você está tomando uma divindade em si mesmo, há também um risco. No entanto, se você entrar com a mente e o coração abertos, pode ser uma experiência capaz de provocar uma mudança significativa na sua vida. Dionísio nos convida a deixar de lado nossas inibições para ver além do que às vezes pode ser uma visão de mundo estagnada. Se apenas nos entregarmos e confiarmos, ele nos permite ver o que pode ser. Às vezes um pouco de loucura pode ser tudo de que precisamos no momento!

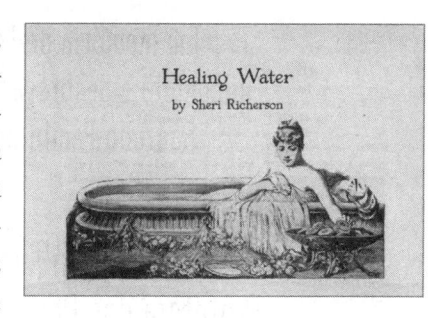

– Extraído e adaptado de *Ritual Madness: Communing with Dionysus*, de Charlynn Walls, *Llewellyn's 2022 Magical Almanac*.

DANÇA CELESTIAL

Numa noite de Lua Cheia, prepare-se tomando um banho e passando no corpo óleos perfumados. Encha o ambiente com a beleza das velas, com incenso, com uma decoração aconchegante e com boa música. Agora você está pronto para criar sua própria dança celestial. Deixe o corpo acompanhar o ritmo da música, da energia que você está criando. Esqueça qualquer inibição. Só essa noite, deixe que a energia o faça dançar entre as estrelas.

Em memória de Mirella Faur,
iniciadora e desbravadora na senda do
Sagrado Feminino no Brasil.

Oração à Deusa Brigid, Protetora dos Praticantes de Magia

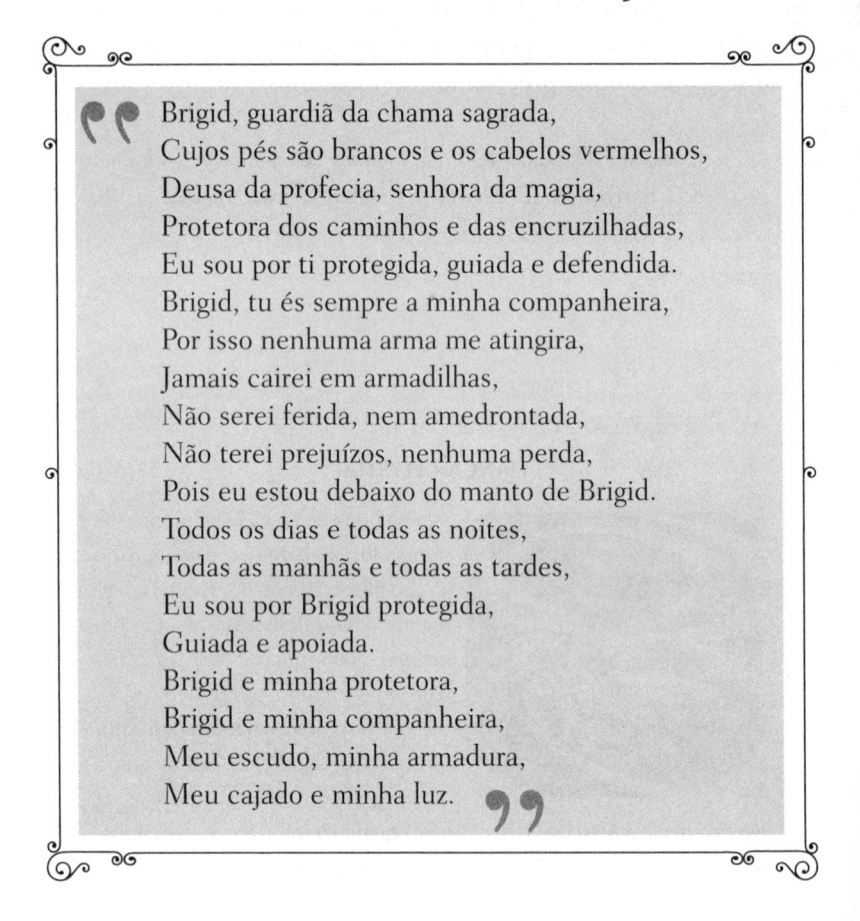

> Brigid, guardiã da chama sagrada,
> Cujos pés são brancos e os cabelos vermelhos,
> Deusa da profecia, senhora da magia,
> Protetora dos caminhos e das encruzilhadas,
> Eu sou por ti protegida, guiada e defendida.
> Brigid, tu és sempre a minha companheira,
> Por isso nenhuma arma me atingira,
> Jamais cairei em armadilhas,
> Não serei ferida, nem amedrontada,
> Não terei prejuízos, nenhuma perda,
> Pois eu estou debaixo do manto de Brigid.
> Todos os dias e todas as noites,
> Todas as manhãs e todas as tardes,
> Eu sou por Brigid protegida,
> Guiada e apoiada.
> Brigid e minha protetora,
> Brigid e minha companheira,
> Meu escudo, minha armadura,
> Meu cajado e minha luz.

– Extraído e adaptado de *Círculos Sagrados para Mulheres Contemporâneas*, Mirella Faur, Editora Pensamento.